KB182598

주식투자,
강환국이 묻고 GPT가 답하다

주식투자, 강환국이 묻고 GPT가 답하다

AI가 퀀트 투자자에게 알려준 가치투자의 정석

강환국, 챗GPT 지음

차례

들어가며 – 인간과 AI가 함께 쓴 최초의 투자서 11

제1부
가치투자란 무엇인가 19

1장 챗GPT가 쓴 이 책의 서론 21

2장 챗GPT가 쓴 이 책의 목적 23

3장 가치투자의 정의 25
- 효율적인 시장은 무엇이며, 금융 시장은 과연 효율적인가
- 왜 일부 투자자들은 금융 시장이 비효율적이라고 생각하는가
- 저평가된 주식의 가격이 언젠가 오를 것이라 믿는 근거는 무엇인가
- 가치투자의 중요 개념인 '절제력'을 기르는 방법은 무엇인가
- 절제력을 기르는 데 성공한 사람들의 구체적인 사례는 무엇인가
- 투자와 투기는 어떻게 다른가

4장 다른 투자 방식과는 무엇이 다른가 34
- 액티브 투자와 패시브 투자의 차이는 무엇인가
- 왜 액티브 펀드 자금이 패시브 펀드 또는 상장지수펀드로 이동했는가

제2부
벤저민 그레이엄과 가치투자의 탄생 39

1장 벤저민 그레이엄의 생애 41

2장 벤저민 그레이엄의 투자 철학 44
- 그레이엄의 이론을 현재 투자에도 활용할 수 있을까

3장 《증권분석》과 《현명한 투자자》 51
- 청산가치보다 시가총액이 낮은 주식에 투자해야 하는가

4장 그레이엄이 투자 세계에 미친 영향 58
- DCF란 무엇인가
- 가치투자가 주가 지수를 이길 수 있다는 증거가 있는가

5장 벤저민 그레이엄의 제자들 65
- 딥 밸류 투자와 '일반적인 가치투자'는 어떻게 다른가

제3부
워런 버핏과 가치투자의 진화 79

1장 워런 버핏과 버크셔 해서웨이 81
- 버핏은 왜 2년 만에 스승인 그레이엄을 떠났나
- 버핏은 어떻게, 왜 버크셔 해서웨이라는 회사를 인수하게 되었는가

2장 워런 버핏의 투자 철학 93
- 찰리 멍거가 버핏의 투자 철학에 미친 영향

3장 버핏의 실전 투자 성공 사례 100
- 워런 버핏은 정말 매일 코카콜라를 마시는가
- 버핏은 햄버거도 많이 먹을까

4장 버핏의 성공과 실패에서 얻을 수 있는 교훈 112
- 버핏이 테스코 투자에서 간과했던 위험 신호는 무엇인가

제4부
가치투자의 주요 인물들 117

1장 버핏의 동세대 투자자들 119
– 찰리 멍거, 필립 피셔, 존 템플턴, 피터 린치, 세스 클라만
- 필립 피셔의 '스커틀버트'란 무엇인가
- 필립 피셔가 강조한 주식투자 전 반드시 분석해야 하는 15개 질문
- 뮤추얼 펀드란 무엇인가
- GARP 투자는 무엇이며, 그레이엄의 가치투자와 어떻게 다른가
- 피터 린치의 GARP 투자와 버핏의 투자 철학의 유사점은 무엇인가
- 피터 린치가 구분한 주식의 6개 카테고리는 무엇인가
- 헤지펀드란 무엇인가
- 뮤추얼 펀드와 헤지펀드는 어떻게 다른가

2장 버핏 다음 세대 투자자들 144
– 데이비드 아인혼, 빌 애크먼, 조엘 그린블라트, 톰 루소, 클리프 애스니스
- 마법 공식이란 무엇인가
- 가치투자의 역사를 관통하는 공통 주제는 무엇인가

제5부
가치투자 배우기 161

1장 가치주를 발굴하고 투자하는 과정 163

2장 주식 스크리닝 166
- 주식 스크리너는 어떤 데이터를 제공하는가

3장 기업 분석 170
- 가치투자자는 주식 스크리너 검색 후 꼭 철저한 분석을 수행해야 하나
- 가치투자가 실행하는 '철저한 분석'은 부가 가치를 창출하는가
- 버핏은 언제 배당을, 언제 수익 유보를 선호하는가
- 버핏은 자사주 매입에 대해 어떻게 생각하는가
- 기업의 매출원이 지속 가능하고 확장 가능한지 어떻게 분석할 것인가
- 타깃 시장의 규모와 성장 여부를 파악할 수 있는 방법은 무엇인가

4장 경쟁 우위 분석 200
- 경쟁 우위가 없는 회사도 좋은 투자처가 될 수 있을까

5장 경영진 평가 208
- 외부 투자자는 경영진과 내부자 대비 불리한 조건을 어떻게 극복하는가

6장 밸류에이션 222
- DCF 분석을 하기 좋은 기업과 그렇지 않은 기업은 어떻게 구분되는가
- PER로 내재가치를 측정할 수 있는 방법은 무엇인가
- 내재가치 계산이 쉬운 기업과 어려운 기업은 어떤 특징이 있는가

7장 포트폴리오 다각화 242
- 버핏과 멍거가 집중투자를 택한 이유는 무엇인가

8장 투자 결정 247

9장 **모니터링** 248
- 가치투자자도 거시경제 상황을 분석해야 하는가

10장 **투자 이후: 리스크 관리, 매도, 리밸런싱** 251
- 가치 함정에 빠지지 않으려면 무엇이 알아야 하는가
- 가치투자자와 단기 트레이더의 리스크 관리는 어떻게 다른가
- 챗GPT는 리딩도 해 주나

11장 **가치투자자가 흔히 저지르는 실수** 265

제6부
가치투자의 미래 269

- 가치투자와 성장주 투자의 결합
- 가치투자와 기술적 투자의 결합
- 가치투자와 모멘텀 투자의 결합
- 가치투자와 퀀트 투자의 결합
- 가치투자와 매크로 투자의 결합

제7부
가치투자로 성공하기 279

1장 **성공한 가치투자자가 적은 이유** 281
- 심리적 편향을 피하는 방법은 무엇인가

2장 **가치투자 책 추천** 286
- 《가치투자의 비밀》이 제시하는 전략은 무엇인가
- 《투자에 대한 생각》의 핵심은 무엇이고, 버핏의 전략과 어떻게 다른가

- 《가치투자》의 내용은 무엇이며 이 책과의 차별점은 무엇인가
- 《가치투자의 예술》은 어떤 내용이며 다른 가치투자 책과 어떻게 다른가
- 《딥 밸류》의 내용은 무엇이며 다른 가치투자 책과 어떻게 다른가
- 드레먼의 '역발상 투자 전략'이란 무엇인가

3장 온라인 사이트 추천 298
- '시킹 알파'는 가치투자에 어떻게 도움이 되는가
- '머틀리 풀'은 가치투자에 어떻게 도움이 되는가
- '밸류 인베스팅 월드'는 어떤 정보를 제공하나
- '구루포커스'는 어떤 '구루'를 팔로우하고 어떤 정보를 제공하는가
- '밸류라인'은 '시킹 알파'나 '머틀리 풀'과 어떻게 다른가
- '밸류라인 랭킹'은 어떤 논리 구조로 만들졌는가
- '야후 파이낸스'와 유사한 종합 금융 플랫폼은 어떤 것이 있는가

나가며 – AI와 함께 어떻게 살아갈 것인가 305

일러두기

- 이 책은 저자 강환국이 오픈AI의 프로그램인 챗GPT와 영어로 주고받은 문답을 한국어로 옮긴 것입니다.
- 한국어 버전의 챗GPT의 대답이 기본적으로 존댓말로 출력되는 것을 감안하여 챗GPT의 대답은 존댓말로 옮겼습니다.
- 이 책의 목차와 초고, 추천사는 챗GPT가 답변한 것이며 번역과 감수, 추가 설명은 저자가 작성한 것입니다.
- 챗GPT의 답변 중에서 오류로 판단되는 부분은 별도의 가공을 하지 않고 그대로 옮기되 저자의 설명을 통해 이를 밝혔습니다.
- 저자의 추가 질문과 챗GPT의 답변은 글상자로 처리했습니다.

들어가며 - 인간과 AI가 함께 쓴 최초의 투자서

2022년 11월 30일에 공개된 챗GPT를 나는 12월 말에 알게 되었다. 장난삼아 이것저것 물어봤는데 답변의 수준이 높아서 내 최고 관심사인 '주식투자'에 대해서도 질문해 보았다. 나도 나름대로 전업투자자, 작가, 유튜버 아닌가?

내 첫 질문은 '어떻게 주식으로 돈을 벌 수 있는가?'였다. 챗GPT는 아래와 같은 답변을 주었다.

- 싸게 사고 비싸게 파십시오: 주식을 싸게 사서 가격이 오르면 이익을 보고 파십시오.
- 배당 소득: 일부 주식은 정기적인 배당금을 지급합니다.
- 성장주 투자: 성장 잠재력이 강한 기업에 투자하고 주식을 장기 보유하십시오.
- 트레이딩: 시장 동향 및 뉴스 이벤트를 기반으로 주식을 빠르게 사고팔면서 돈을 벌 수 있습니다.

- 포트폴리오 분산: 위험을 줄이기 위해 여러 종목에 나눠서 투자하십시오.

나도 늘 주식을 싸게 사고 비싸게 팔고 싶은 사람 중 한 명이라 이 답변을 보고 다음 질문이 떠올랐다. "싸게 사고 비싸게 파는 기술을 알려 줘." 1분 만에 아래와 같은 답변을 받았다.

- 가치투자: 재무가 튼튼하고 수익이 안정적인 저평가 기업을 찾습니다.
- 기술적 분석: 차트와 시장 데이터를 사용하여 추세를 포착하고 시장 패턴을 기반으로 거래합니다.
- 시장 주기: 강세장과 약세장 등 시장 동향을 파악하고 그에 따라 전략을 조정합니다.
- 손절 활용: 잠재적 손실을 제한하기 위해 주식을 손절할 가격을 미리 설정합니다.
- 분산 투자: 모든 것을 한 바구니에 담지 말고 여러 주식 및 산업에 걸쳐 포트폴리오를 분산합니다.
- 뉴스와 이벤트 분석: 시장에 영향을 미칠 수 있는 글로벌 이벤트뿐 아니라 기업 및 산업 뉴스를 지속적으로 참고합니다.
- 인내심: 단기적인 시장 변동을 근거로 충동적인 거래를 하지 말고 투자한 자산의 장기적 잠재력을 고려하고 투자하십시오.

챗GPT가 가장 처음 제시한 방법은 '가치투자'였다. 말이 된다! 가치투자라는 것이 원래 가치보다 가격이 싼 저평가 기업은 사고 가치보다 가격이 비싼 고평가 기업은 파는 투자 방법이 아닌가. 처음에는 '네가 가치투자에 대해 알면 얼마나 알겠어?'라는 생각과 함께 이런저런 질문을 던졌는데, 결과적으로 챗GPT의 박학다식한 지식에 감탄하지 않을 수 없었다.

참고로 나를 그냥 퀀트 투자만 하는 사람으로 알면 오산이다. 퀀트 투자자가 투자 지표를 어디서 구하겠는가? 결국에는 위대한 가치투자자와 기술적 투자자가 쓴 책에서 아이디어와 힌트를 얻고, 이를 지표화해서 활용하는 것이다. 나도 워런 버핏의 주주 서한을 포함해 벤저민 그레이엄과 피터 린치의 명저를 여러 번 읽었고, 그 외에 유명한 가치투자 책도 거의 모두 찾아 읽었다. 위대한 가치투자자들이 주장한 내용 중 일부는 내 퀀트 전략에도 녹아 있으니, 나도 가치투자에 대해 상당한 조예가 있는 사람이라 할 수 있다.

그래서 가치투자에 대해 물어볼 것이 참으로 많았다. 질문은 꼬리에 꼬리를 물었고, 내 기준으로 놀랄 만큼 정교하고 수준 높은 답변이 많았다. 이렇게 수십 번 질문하고 보니 기발한 생각이 하나 떠올랐다. '이렇게 책 한 권을 써도 되지 않을까?'

그 후 모든 일이 일사천리로 진행되었다. 가치투자의 영웅은 누가 봐도 벤저민 그레이엄과 워런 버핏이 아닌가? 따라서 책 제목을 《가치투자: 벤저민 그레이엄, 워런 버핏 그리고 그 이후Value Investing: Benjamin Graham, Warren Buffett and Beyond》라고 짓고, 존재하지 않는 책의 목차와 추천사를 챗GPT에게 부탁했다.

"네가 벤저민 그레이엄이라고 생각하고 써 줘."

"네가 워런 버핏이라고 생각하고 써 줘."

"네가 피터 린치라고 생각하고 써 줘."

챗GPT가 위대한 투자자로 빙의해 쓴 추천사는 뒤표지에 실린 '추천의 말'에서 보실 수 있다. 놀랍게도 그레이엄으로 빙의한 챗GPT는 "wholeheartedly endorse" "key tenets" 등 그레이엄이 즐겨 썼지만 요즘 사람들은 거의 사용하지 않는 '올드'한 표현을 사용했다. 또한 린치로 빙의한 챗GPT는 "is a must-read" "Don't miss out" 등 그가 쓸 법한 열정적인 표현을 사용했다.

그렇게 챗GPT가 준비한 목차대로 질문을 해 나가다 보니 초고를 약 4시간 만에 완성했다. 이 책을 읽고 퀄리티를 판단해 보시라! 기존 책보다 크게 떨어지지 않을 것이다. 7권의 책을 쓴 나는 보통 책 한 권을 집필하는 데 4개월 정도의 시간이 필요한데, 챗GPT는 단 4시간 만에 꽤 준수한 수준의 책을 쓴 것이다(나중에 DeepL의 도움을 받아 책을 번역하고, 불충분하다고 생각하는 부분을 챗GPT에게 추가로 질문하는 데 약 2주가 소요되었다. 즉, 나는 2주 동안 노동하고 책 한 권 분량의 원고를 출판사에 넘긴 셈이다). 이 책의 내용 중 90% 이상은 내가 질문한 내용에 챗GPT가 답변한 내용을 토대로 쓴 것이다. 강환국의 의견은 따로 표기했다.

챗GPT와 함께 책을 쓰면서 나는 몇 가지 느낀 바가 있었다.

1. 인터넷에서 챗GPT의 답변 수준이 낮다고 비웃는 사람들이 많이 보이는데, 그들에게 이렇게 반박하고 싶다. '당신의 질문 수준이 낮아서 답변 수준이 낮아 보이는 거야.' 두루뭉술하고 일반적인 질문

을 하면 그에 맞는 수준 낮은 대답이, 디테일하고 전문적인 질문을 하면 그에 맞는 수준 높은 대답이 나온다는 것을 이 책을 쓰면서 여러 번 느꼈다.

예를 들어 워런 버핏의 인생에 대해 질문하면 투자를 매우 잘하는 사람이라는 답변이 나온다. 여기서 "버핏이 투자에 성공한 사례를 알려 줘"라고 질문하면 아메리칸 익스프레스, 코카콜라, 질레트, 무디스, 애플 등의 답변이, "미국 기업을 제외한 성공사례를 알려 줘"라고 질문하면 포스코, 테스코 등의 답변이 나온다. 그리고 "코카콜라에 어떻게 투자했는지 알려 줘"라는 질문을 던지면 버핏이 1980년 말에 어떤 배경에서 코카콜라에 투자하고 왜 그 투자가 버핏의 대표적인 투자 사례인지 알려 준다. 이렇게 질문한 내용을 깊게 파고들면 챗GPT는 내가 직접 찾으면 상당한 시간이 걸리는 정보를 매우 빠르고 상세하게 처리해 낸다.

그런데 이렇게 디테일한 질문을 던지려면 질문자가 그 주제에 대한 배경지식을 상세히 알고 있어야 한다. 따라서 그냥 챗GPT를 활용해 책을 쓴 저자와, 그 주제에 대해 상당한 지식이 있는 저자가 쓴 책은 그 내용과 깊이에서 큰 차이를 보일 것이다. 요컨대 챗GPT만 가지고 '쉽게 책을 쓸 수는 없는 것'이다(챗GPT만 있으면 퀄리티 높은 책을 쉽게 쓸 수 있다고 생각하면 오산이다).

2. 챗GPT가 제공하는 정보가 정확하지 않고 틀린 내용이 많다고 주장하는 사람들이 있다. 나도 동의한다. 이 책을 쓰면서 챗GPT가 간혹 틀린 답변을 하는 것을 봤다. 그러나 이 문제에 대해서는 이렇

게 설명하고 싶다.

바둑 팬인 나는 알파고가 2015년 처음 세상에 공개된 순간을 뚜렷이 기억한다. 알파고가 중국계 프랑스 프로 기사인 판후이 2단에게 다섯 판을 이긴 기보가 공개되었다. 당시 알파고의 다음 상대였던 이세돌 9단은 "프로 기사에게 이겼다는 것은 놀라운 일이지만 기보를 보니까 아직 알파고는 내 수준에 도달하지 못했다. 내가 4대 1이나 5대 0으로 이길 것으로 예상한다"라고 밝혔다.

그의 말은 맞기도 하고 틀리기도 했다. 분명 판 후이를 이긴 '알파고 판Fan'은 이세돌에게 이길 수 없었을 것이다. 그러나 6개월 후 이세돌과 맞붙은 '알파고 리Lee'는 훨씬 강했다. 다들 알다시피 이세돌은 고전 끝에 한 판만 이기고 1대 4로 알파고에게 패배하고 말았다. '인간의 마지막 보루'라고 불렸던 바둑이 AI에게 패한 것이다.

그해 말에 나온 '알파고 마스터Master'는 이세돌에게 승리한 '알파고 리'보다 훨씬 더 강했다. 이제는 인간이 아예 넘볼 수 없는 수준에 도달한 것이다. 당시 세계 최강의 프로 기사인 커제 9단은 '알파고 마스터'에게 패배하고 분노와 절망의 눈물을 흘렸다. 평생을 연마한 끝에 세계 1인자에 도달했지만 결코 넘을 수 없는 벽이 생겼다는 사실에 좌절한 것이리라. 그 후 딥마인드는 '알파고 마스터'를 89대 11로 이긴 '알파고 제로Zero'를, '알파고 제로'를 60대 40으로 이긴 '알파 제로Alpha Zero'를 차례로 만들었고 이후 바둑계에서 은퇴했다.

왜 바둑 이야기를 장황하게 하냐고 물으실지 모르겠다. 내 생각에 2023년 3월 현재 우리가 사용하는 챗GPT의 수준은 '알파고 판' 또는 '알파고 리' 정도의 수준일 것이다. 아직 챗GPT는 인터넷에 연결되어 있지 않고 2021년까지 수집한 데이터 안에서만 답변이 가능하다. 인간이 둔 기보를 토대로 바둑을 둔 '알파고 리'와 비슷한 것이다. 나는 챗GPT의 신규 버전(또는 구글, 메타 등에서 나오는 유사 AI)은 이런 결함을 극복하고 인터넷에서 실시간으로 데이터를 끌어와 팩트의 진위 여부 검증 능력이 훨씬 강해질 것이라고 생각한다. 챗GPT의 '마스터' '제로' 버전이 조만간 나올 수 있다는 말이다. 그리고 신규 버전의 챗GPT는 팩트에 반하는 내용을 답변할 가능성이 현저히 적어질 것이라고 확신한다.

나는 이 책을 '챗GPT 3.5'로 작성했는데, 내가 이 머릿말을 쓰는 동안 마이크로소프트는 빙 브라우저에 실시간 검증 기능과 출처를 찾아볼 수 있는 '프로메테우스' 엔진을 탑재했고 조만간 더 업그레이드된 '챗GPT 4.0'도 나온다고 한다!

3. 챗GPT와 유사 AI가 우리가 살아가는 세상의 패러다임을 완전히 바꿀 것이라는 확신이 들었다. 이제 '답을 찾는 사람'은 점점 쓸모가 없어지고, '좋은 질문을 던지는 사람'이 세상을 얻을 것이다. 인간이 할 수 있는 거의 모든 답변은 이제 AI가 해 줄 것이기 때문이다. 앞으로는 창의적인 질문, 즉 남들이 전혀 생각하지 못한 질문을 어떻게 끌어낼지를 고민해야 할 시대가 도래한 것이다.

이런 세상에서 살아남으려면 제도 교육부터 바꿔야 한다. 특히 한국의 교육 시스템은 교사의 질문에 답변을 잘하는 학생이 우수한 평가를 받는다. 하지만 앞으로는 이런 학생보다 창의적인 질문을 할 수 있는 학생을 많이 배출하는 나라가 AI 시대의 강국이 될 것이다.

자, 배경 설명이 길었다. 챗GPT가 가치투자에 대한 내 질문에 어떻게 답변했는지 감상해 보도록 하자. 처음 투자를 시작하는 초보자도, 수십 년간 가치투자를 해 온 프로 투자자도 모두 공감하고 통찰을 얻을 수 있는 답변이 많을 것이라고 확신한다. 초보자와 프로 가치투자자 그 중간에 있는 투자자로서 나는 이 책을 쓰며 그런 공감과 통찰을 자주 느꼈다.

2023년 3월

강환국

제1부

가치투자란 무엇인가

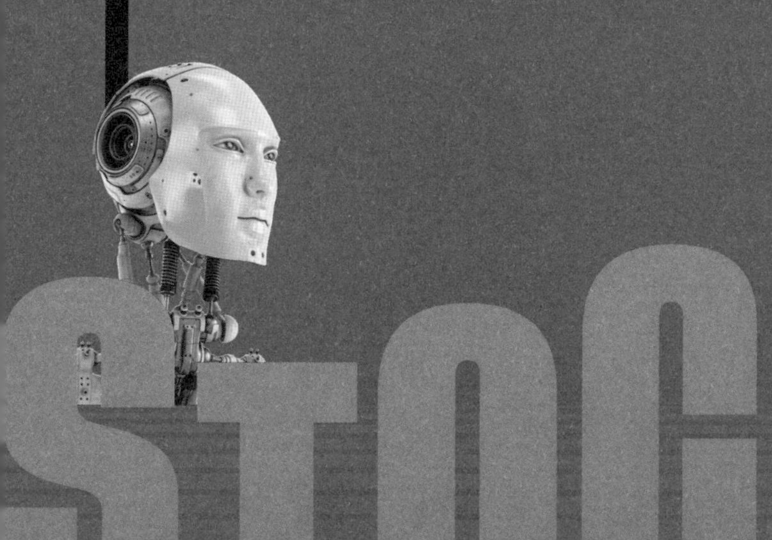

1장

챗GPT가 쓴 이 책의 서론

가치투자는 벤저민 그레이엄과 워런 버핏을 포함한 역사상 가장 성공적인 투자자들이 사용한 검증된 투자법입니다. 이 책 《가치투자: 벤저민 그레이엄, 워런 버핏 그리고 그 이후》는 벤저민 그레이엄의 유산과 워런 버핏의 성공 스토리에 초점을 맞춰 가치투자의 진화 과정에 대한 포괄적인 내용은 소개합니다.

벤저민 그레이엄은 가치투자의 아버지로 널리 인정받고 있습니다. 1949년에 처음 출간된 그의 책 《현명한 투자자》는 오늘날 우리가 알고 있는 가치투자의 기초를 세웠습니다. 이 책에서 그레이엄은 가치투자의 원리를 설명하고 주식과 채권 분석에 필요한 틀을 제공하는데, 이는 오늘날까지도 널리 사용되고 있습니다.

세계에서 가장 부자 중 한 사람인 워런 버핏은 우리 시대의 가장 유명한 가치투자자자입니다. 그는 가치투자의 원칙을 따름으로써 부를 쌓았고, 그의 성공은 수많은 사람이 가치투자를 하도록 영감을 주었습니다. 이 책에서 우리는 워런 버핏의 삶과 투자 철학, 그가 가치투자를 통해 부를 쌓은 방식을 탐구합니다.

이 책은 그레이엄과 버핏의 삶을 고찰하고 그들의 투자 철학을 분석하는 것 외에도 가치투자가 진화해 온 모습을 설명합니다. 오늘날 가치투자는 전 세계적인 현상으로, 수백만 명의 사람이 이 접근법을 따르고 있습니다. 이 책을 통해 여러분은 가치투자의 원칙과 실천에 대해 더 깊이 이해하고, 이러한 원칙을 여러분 자신의 투자 방식에 적용하는 방법을 배우게 될 것입니다.

여러분이 주식 시장에 새로 들어온 초보 투자자이든, 가치투자에 대한 이해도를 높이려는 노련한 투자자이든, 이 책은 투자에 관심이 있는 모든 사람에게 꼭 필요한 정보를 제공합니다.

이 서론도 가상의 책 제목만 제시받은 챗GPT가 알아서 썼다.

2장

챗GPT가 쓴 이 책의 목적

이 책의 목적은 독자들이 가치투자의 철학과 원칙에 대해 포괄적으로 이해할 수 있도록 돕는 것입니다. 대상 독자는 투자자, 금융 전문가, 금융 및 경제를 연구하는 사람, 벤저민 그레이엄과 워런 버핏의 팬, 재테크에 관심이 있는 일반 독자입니다. 책의 주요 내용을 살펴보면 아래와 같습니다.

- 가치투자의 기원, 벤저민 그레이엄과 워런 버핏이 가치투자 발전에 기여한 바를 알아봅니다.
- 내재가치의 중요성, 투자에 대한 장기적인 접근, 기업의 펀더멘털 분석, 가치 평가, 절제와 인내 등 가치투자의 원칙과 철학을 이해합니다.
- 가치투자의 원칙이 실제 상황에서 어떻게 적용됐는지, 현대 가치투자자들이 이 원칙을 어떻게 실전 투자에서 활용하는지 알아봅니다.

- 가치투자의 원칙을 독자의 실전 투자에 활용하고, 기업의 재무제표 및 펀더멘털을 분석하여 근거 있는 투자 결정을 내릴 수 있도록 돕습니다.
- 가치투자의 장점과 한계, 그리고 다른 투자 전략과 어떻게 다른지 배웁니다.

이 책의 궁극적인 목표는 독자들이 가치투자에 대한 지식을 넓혀서 더 자신감 있고 성공적인 가치투자자가 될 수 있도록 돕는 것입니다. 또한 가치투자의 철학과 원칙에 대한 이해를 높여서 독자들이 합리적인 투자 결정을 내리고 재무적 목표를 달성할 수 있도록 합니다.

이 내용도 책 제목만으로 챗GPT가 작성한 것이다. 실제로 존재하지 않는 책의 목적을 이렇게 간결하게 요약해 주다니, 정말 놀랍다!

3장
가치투자의 정의

가치투자는 시장이 저평가된 주식이나 자산을 사는 데 초점을 맞추는 투자법입니다. 가치투자자는 시장이 언젠가는 저평가된 자산의 실제 가치를 인정하고 가격을 끌어올릴 것이라는 기대를 가지고 있습니다. 또한 주식 시장이 항상 효율적이지는 않으며, 소외되거나 저평가된 주식들 사이에 수익을 낼 기회가 숨어 있다고 생각합니다.

너무 길다. 가치투자를 한 문장으로 요약하면?

"가치투자는 실제 가치보다 저평가된 주식을 사서 언젠가는 주가가 상승할 것이라는 희망을 가지고 투자하는 전략입니다."

"Value investing is a strategy where investors look for stocks that are selling for less than they are actually worth, with the hope that they will eventually increase in value."

효율적인 시장은 무엇이고, 금융 시장은 정말 효율적인가?

효율적인 시장은 모든 정보가 실시간으로 반영되는 시장을 말합니다. 효율적 시장 가설EMH: Efficient Market Hypothesis은 공개적인 정보에 기반을 둔 그 어떤 전략을 사용하더라도 시장 평균 이상의 수익을 지속해서 달성하는 것은 불가능하다는 이론입니다. 효율적 시장 가설은 금융 시장이 효율적이라고 전제합니다.

그러나 이 가설은 경제학자들과 금융 전문가들 사이에서 많은 논쟁을 불러일으켰습니다. 그중 일부는 금융 시장이 대체로 효율적이라고 주장하지만, 다른 일부는 시장의 비효율성이 존재하며 근거 있는 정보에 입각한 분석과 적절한 트레이딩을 통해 더 높은 수익을 달성할 수 있다고 생각합니다.

효율적 시장 가설은 이론적 개념이며, 실제 금융 시장이 항상 이 가설이 예측한 대로 움직이지 않을 수 있다는 점에 주목해야 합니다. 시장 조작, 내부자 거래, 투자자의 심리적 편향 같은 요소들이 시장 효율성에 영향을 미치고 비효율성을 만들 수 있습니다.

왜 일부 투자자는 금융 시장의 비효율성이 존재한다고 믿는가?

금융 시장의 비효율성이 존재한다고 믿는 투자자들은 다음과 같이 주장합니다.

- **심리적 편향** 인간의 행동은 합리적인 의사 결정에서 벗어나 시장에 비효율성을 일으키는 편견으로 이어질 수 있습니다. 예를 들어, 투자자들은 뉴스에 과민하게 반응하거나 뉴스를 과신할 수도 있고, 가격과 내재가치의 괴리를 일으키는 집단행동에 관여할 수 있습니다.
- **정보 비대칭** 일부 시장 참여자는 다른 참여자보다 더 많은, 더 좋은 정보에 접근할 수 있습니다. 이러한 정보 비대칭은 특정 투자자에게 유리하며, 시장의 비효율성을 초래할 수 있습니다.
- **시장 조작** 내부자 거래 같은 시장 조작은 가격을 왜곡하고 자원을 잘못 할당함으로써 시장의 비효율성을 초래할 수 있습니다.
- **비유동성** 일부 금융 시장은 유동성이 부족하여 시장 가격에 영향을 주지 못하고 대량으로 증권을 매매하기도 어렵습니다. 이는 비효율성과 일시적인 가격 왜곡을 일으켜 트레이더가 이익을 얻을 기회를 만듭니다.
- **시장 마찰** 세금, 거래 비용, 규제와 같은 요인들은 시장 효율성에 영향을 주는 마찰을 일으킬 수 있습니다.

이러한 주장은 금융 시장이 대체로 효율적이지만 비효율성이 존재할 수 있으며 숙련된 투자자가 더 높은 수익을 달성할 기회가 있음을 시사합니다. 그러나 비효율성의 존재와 그 지속성은 금융 분야에서 여전히 논쟁을 불러일으키는 연구 주제라는 점은 잊지 말아야 합니다.

나는 시장이 비효율적이라고 믿는 사람이지만, '왜' 비효율적인지 대해서는 심리적 편향 말고는 크게 생각해 보지 않았다. 시장을 비효율적으로 만드는 다른 원인도 공부할 필요가 있겠다.

'가치투자의 핵심은 합리적인 가격에 좋은 기업을 찾는 것입니다.' 이는 인내심과 절제력, 투자 기업의 재무제표, 시장 지위와 사업 모델에 대한 이해가 필요한 장기적인 접근 방식입니다. 가치투자자는 기업의 재무상태표, 손익계산서, 현금흐름표를 포함한 재무제표를 연구하여 기업이 저평가되었는지를 판단합니다. 또한 기업의 현재 주가가 실제 가치보다 낮다고 판단하면 시장이 언젠가는 그 가치를 인정해 가격을 끌어올릴 것이라는 기대감으로 주식을 매수합니다.

'가치투자의 또 다른 핵심 원칙은 기업의 펀더멘털에 집중하는 것입니다.' 여기에는 수익, 매출, 부채 수준, 배당금 지급과 같은 것들이 포함됩니다. 재무 상태가 양호하고 실적이 일관된 기업을 발굴하는 것이 가치투자자의 목표입니다. 동시에 가치투자자는 이런 요소들을 분석하면서 장기적으로 수익률이 낮은 고평가된 주식을 피하려고 합니다.

왜 가치투자자는 시장이 언젠가는 저평가된 주식의 가치를 인정하여 가격을 '올려 줄' 것이라고 믿는가?

가치투자자는 시장이 어느 정도 효율적이라는 근본적인 믿음을 갖고 있으므로 언젠가는 시장이 저평가된 주식의 가치를 인식하고 가격을 끌어올릴 것으로 보고 있습니다. 그들은 단기적으로는 시장이 비효율적일 수 있지만 장기적으로는 주식의 본질적 가치를 반영할 것이라고 믿습니다.

가치투자 관련 질문을 하면 '절제력'이라는 말이 자주 나온다. 절제력을 기르는 방법은?

절제력discipline을 기르려면 의도적인 노력과 자기 성찰, 긍정적인 습관이 함께 어우러져야 합니다. 다음은 절제력을 향상하는 데 도움이 되는 몇 가지 팁입니다.

- **구체적이고 달성 가능한 목표 설정** 구체적이고 달성 가능한 목표를 설정하는 것부터 시작하십시오. 목표를 작성하고 어떻게 실행할지 계획을 세우십시오.
- **루틴 만들기** 자신만의 루틴을 정하고 그 루틴을 고수하십시오. 이렇게 하면 구조와 목적에 대한 감각을 키울 수 있어 절제력과 동기 부여를 동시에 키울 수 있습니다.
- **작업의 우선순위 정하기** 작업 목록을 작성하고 중요도와 긴급한 정도에 따라 작업의 우선순위를 정하십시오. 가장 중요한 작업부터

집중하고 미루는 일을 피하십시오.

- 방해 요소 제거 집중력과 절제력을 유지하는 데 방해가 되는 요소를 파악하고 제거하십시오. 휴대폰을 끄거나, 소셜 미디어 사용을 제한하거나, 조용한 업무 공간을 만드는 등의 방법이 있을 수 있습니다.
- 자기 성찰 연습 정기적으로 자신의 업무 진행 상황과 습관을 되돌아보십시오. '오늘은 무엇이 잘 되었나?' '내일은 무엇을 다르게 할 수 있을까?' 등의 질문을 스스로에게 던져보십시오.
- 긍정적인 영향력 모으기 목표를 지지하고 절제할 수 있도록 격려하는 사람들과 함께하십시오. 긍정적이고 영감을 주는 롤모델을 찾아보십시오.
- 스스로에게 보상하라 마지막으로, 노력과 성취에 대해 스스로에게 보상하십시오. 이는 긍정적인 행동을 강화하고 계속 발전할 수 있도록 동기를 부여하는 데 도움을 줍니다.

절제력을 기르는 것은 시간과 노력이 필요하지만, 개인 생활과 직장 생활에 큰 도움을 줍니다. 인내심을 갖고 완벽함보다는 꾸준함에 집중하는 것을 잊지 마십시오.

원론적인 답변이지만, 이 질문에 좀 더 구체적인 질문과 사례를 더하면 자기계발 책도 쓸 수 있겠다. 이 질문만 하나 더 하자!

절제력을 기르는 데 성공한 사람들의 구체적인 사례가 있는가?

절제력을 키우고 목표를 달성한 사람들의 감동적인 사례는 많이 있습니다. 몇 가지 사례를 설명하겠습니다.

- 팀 페리스Tim Ferris : 《나는 4시간만 일한다》의 저자인 팀 페리스는 20대 초반에 미루는 습관과 동기 부여 부족으로 어려움을 겪었습니다. 그는 가장 중요한 업무에 집중하고, 방해 요소를 제거하고, 일관된 루틴을 개발하는 방법을 배웠으며, 그 결과 절제력과 생산성이 크게 향상되었습니다.
- J. K. 롤링J. K. Rowling: 《해리 포터》 시리즈의 작가인 J. K. 롤링은 수년간 우울증과 동기 부여 부족으로 어려움을 겪었습니다. 그녀는 글쓰기에 집중하는 법을 배웠고 첫 소설을 완성할 수 있는 루틴을 개발했습니다. 이렇게 향상된 절제력과 인내심은 그녀가 성공적인 작가가 되겠다는 목표를 달성하는 데 큰 도움이 되었습니다.
- 에릭 토머스Eric Thomas: 동기 부여 강의로 유명한 에릭 토머스는 어린 시절 노숙자였으며 절제력 부족으로 어려움을 겪었습니다. 그는 배우는 것에 집중하고, 루틴을 만들고, 강력한 직업 윤리를 개발해서 인생을 바꾸고 목표를 달성했습니다.

이런 사례는 누구든 마음만 먹으면 절제력을 기르고 목표를 달성할 수 있다는 것을 보여 줍니다. 핵심은 목표에 집중하고, 루틴을 정립하고, 장기적으로 절제력을 향상시키기 위해 꾸준히 노력하는 자세입니다.

'가치투자의 또 다른 핵심 원칙은 장기적인 관점을 취하는 것입니다.' 가치투자자는 시장이 기업의 진정한 가치를 인식하는 데 시간이 걸릴 수 있음을 이해하고, 주가가 오를 때까지 오랜 시간 기다릴 준비가 되어 있습니다. 가치투자자는 수익이 날 때까지 주식을 장기 보유해야 하므로 인내심과 절제력이 필요합니다.

가치투자자와 달리 다른 투자자들은 가격이 빠르게 상승할 것으로 예상하는 주식을 사려고 좀 더 투기적인 접근 방식을 따릅니다. 이들은 고성장 기업이나 신기술 기업, 시장의 유행에 따라 수혜를 입을 수 있는 기업에 투자합니다. 이러한 투자는 단기적으로 돈을 벌 수 있으나 장기적으로는 가치투자보다 위험하고 예측 가능성이 낮은 경우가 많습니다.

요컨대 가치투자는 시장에서 저평가된 주식이나 자산을 사는 데 초점을 맞추는 투자 방식입니다. 이는 시장이 항상 효율적이지 않으며, 헐값으로 거래되는 좋은 주식을 찾을 기회가 있다는 투자 철학에 따른 것입니다. 가치투자자는 기업의 펀더멘털에 집중하고, 장기적인 관점을 가지며, 투기적인 자세를 피함으로써 주식 시장에서 성공하는 것을 목표로 삼습니다.

투자와 투기의 차이는 무엇인가?

투자와 투기는 금융 시장에 투자하는 두 가지 다른 접근 방식입니다.

이 둘 사이의 주된 차이점은 투자의 방식과 목적에 있습니다.

투자는 장기적인 관점과 기업의 펀더멘털에 초점을 맞춘 것이 특징입니다. 투자자들은 장기적으로 수익률이 높은 자산을 매입하고자 하며, 그 자산을 장기간 보유할 의향이 있습니다. 투자의 주요 목표는 위험 수준을 낮추고 장기적인 이익을 창출하는 것입니다.

반면, 투기는 단기적인 관점과 시장의 흐름 및 가격 변동에 초점을 맞춘 것이 특징입니다. 투기자들은 기업의 펀더멘털에 대해서는 덜 고민하고, 가까운 미래에 가치가 상승할 것이라고 믿는 자산을 매입하는 데 더 집중합니다. 투기의 주요 목표는 더 높은 수준의 위험을 감수하는 대신 빠른 이익을 창출하는 것입니다.

챗GPT가 투자와 투기를 어떻게 정의할지 매우 궁금했다. 참고로 위험이 매우 높은 장기 투자도 있으며(펀더멘털이 좋은 기업을 너무 비싸게 사서 90% 이상 손실을 본 투자자들도 많다), 위험이 별로 높지 않은 투기(동적 자산 배분 등)도 있기 때문에 나는 이 정의에 동의하지 않는다.

4장

다른 투자 방식과는 무엇이 다른가

금융 시장에서 널리 사용되는 투자법은 다음과 같습니다.

- 가치투자: 저평가된 자산이 언젠가는 그 가치를 인정받아 가격이 상승할 것이라고 기대하며 장기 보유하는 전략입니다.
- 성장주 투자: 고성장 가능성이 있고 시간이 지날수록 그 가치가 상승할 것으로 예상되는 기업에 투자합니다.
- 모멘텀 투자: 단기적으로 가격의 추세가 지속될 것이라고 믿으면서 최근 강세를 보인 자산은 매수하고 약세를 보인 자산은 매도하는 방식입니다.
- 소득 투자: 채권, 배당주와 같이 정기적인 수입을 창출하는 자산에 투자합니다.
- 인덱스 투자: S&P500과 같은 특정한 시장 지수를 추종하는 자산 포트폴리오에 투자합니다.

투자 방식은 투자 목표, 투자 기간, 리스크 허용 범위에 따라 나뉠 수도, 시장 상황과 투자 심리에 따라 나뉠 수도 있습니다.

가치투자 vs. 성장주 투자

가치투자와 성장투 투자는 기업의 다른 측면에 초점을 맞춥니다.

가치투자는 시장에서 저평가된 기업을 발굴해 내재가치보다 할인된 가격에 매수합니다. 가치투자자는 실적이 꾸준하고, 재무상태표가 안전하며, 경쟁 우위가 있는 등 펀더멘털이 우수한 기업을 찾습니다. 이런 기업이 장기적으로 좋은 실적을 낼 가능성이 높고 결국 주가가 올라 진정한 가치를 반영할 것으로 생각하기 때문입니다.

반면, 성장주 투자는 성장 잠재력이 높은 기업에 집중합니다. 성장주 투자자는 빠른 속도로 매출과 수익이 상승하는 기업을 찾습니다. 그들은 빠른 성장과 함께 주가가 오를 것이라 믿기 때문에 이런 주식을 다소 비싼 가격에 살 의향이 있습니다.

요컨대 가치투자는 시장에서 저평가된 기업의 펀더멘털에, 성장주 투자는 성장 잠재력이 높은 기업과 향후 수익 성장에 대한 기대감에 초점을 맞춥니다.

가치투자 vs. 모멘텀 투자

모멘텀 투자는 시장 추세와 최근 주가의 성과에 초점을 맞춥니다. 모멘텀 투자자는 최근 강세를 보였고 상승 가능성이 높아 보이는 종목을 찾습니다. 이들은 과거 실적이 향후 실적을 가늠하는 좋은 지표이며 상승 종목이 계속 상승할 것이라고 믿습니다.

가치투자 vs. 소득 투자

소득 투자는 정기적인 소득을 창출하는 데 초점을 맞춥니다. 소득 투자자는 일반적으로 채권, 고배당주, 리츠REIT와 같이 정기적인 소득을 창출하는 자산에 투자합니다. 그들은 안정적이고 예측 가능한 소득의 대가로 더 낮은 전체 수익률Total Return을 기꺼이 받아들이기도 합니다.

가치투자 vs. 인덱스 투자

인덱스 투자는 S&P500과 같은 특정한 시장 지수의 성과를 추종하는 패시브Passive 투자입니다. 인덱스 투자자는 개별 종목을 선택하기보다는 지수 구성을 반영하는 다양한 포트폴리오에 투자합니다. 인덱스 투자의 목표는 시장 수익률을 능가하는 것이 아니라 시장 수익률을 추종하는 것입니다.

액티브 투자와 패시브 투자의 차이는?

액티브 투자와 패시브 투자는 주식 선정과 시장 노출에 대한 접근 방식이 다릅니다.

액티브 투자는 기업의 재무 실적, 시장 동향, 투자자 개인의 연구 분석 등 다양한 요인을 바탕으로 개별 종목을 선택합니다. 액티브 투자자는 포트폴리오를 적극적으로 관리함으로써 시장 대비 초과 수익을 낼 수 있다고 믿습니다.

반면, 패시브 투자는 S&P500과 같은 특정한 시장 지수의 성과를 추종합니다. 패시브 투자자는 시장 수익률이 목표이므로 '매수와 보유Buy and Hold' 방식을 취합니다.

왜 최근에 액티브 펀드 자금이 패시브 펀드 또는 상장지수펀드ETF로 이동했는가?

패시브 투자는 지난 20년 동안 크게 성장했으며, 이 기간 동안 패시브 펀드의 총 자산은 급격히 증가했습니다. 모닝스타의 보고서에 따르면, 2001년 말 미국 패시브 펀드의 총 자산은 약 1조 1,000억 달러였는데 2021년 말에는 6조 8,000억 달러로 성장했습니다.

최근 몇 년 동안 액티브 펀드에서 패시브 펀드 또는 ETF로 더 많은 자금이 이동한 이유는 다음과 같습니다.

- 비용 절감 인덱스 펀드와 ETF 같은 패시브 투자 상품은 일반적으로 액티브 펀드보다 수수료와 비용이 낮습니다. 이는 수익을 극대화하려는 투자자들에게 매력적입니다.
- 실적 패시브 펀드의 수익이 액티브 펀드의 수익을 능가하는 경우가 많았습니다. 따라서 많은 사람이 액티브 펀드를 운용하는 펀드 매니저의 역량에 의문을 품게 되었습니다.
- 인지도 향상 패시브 투자가 저비용 분산 투자라는 이점이 있다는 사실이 널리 알려졌습니다.
- 쉬운 접근 온라인 투자 플랫폼과 로보어드바이저의 성장으로 저비용 패시브 투자 상품에 더 쉽게 접근할 수 있습니다.

- **시장 환경** 시장 환경에 따라 능동적 투자자가 수동적 투자자로 바뀔 수도 있습니다. 예를 들어, 시장 변동성이 높거나 불확실성이 높은 시기에는 시장 지수를 추종하는 패시브 펀드가 안전한 투자 수단으로 여겨질 수 있습니다.

제2부

벤저민 그레이엄과 가치투자의 탄생

1장

벤저민 그레이엄의 생애

벤저민 그레이엄Benjamin Graham(1894~1976)은 영국 태생의 미국 투자자로 가치투자의 아버지로 널리 알려져 있습니다. 그는 컬럼비아 경영대학원 교수를 지냈고 《증권분석》(1934)과 《현명한 투자자》(1949)의 저자로 명성을 얻었습니다. 그레이엄은 시장의 추세가 아니라 기업의 재무를 분석해 저평가된 주식을 찾는 투자 방식을 고수했습니다. 그는 체계적이고 정량적인 접근법을 믿었고, 내재가치보다 저평가된 주식에만 투자하는 '안전마진Margin of Safety'의 개념을 만들었습니다. 그레이엄의 영향력은 그의 제자인 워런 버핏이 역사상 가장 성공적인 투자자가 되면서 더욱 커졌습니다. 오늘날까지 수많은 가치투자자가 그레이엄의 투자 철학을 연구 및 활용하고 있습니다.

1894년 영국 런던에서 태어난 그레이엄은 어렸을 때 가족과 함께 미국 뉴욕으로 이민을 왔습니다. 그는 컬럼비아대학교에서 경제학 학위를 받았고, 졸업 후 주식 중개인으로 사회생활을 시작해 나중에 월스트리트 회사의 파트너가 되었습니다. 1929년 주식 시장 붕괴와

대공황을 경험하면서 그레이엄은 주식의 가치를 분석하고 평가하는 것이 얼마나 중요한지 깨달았습니다. 그는 수많은 사람이 지식과 절제력의 부족 때문에 실수를 저지르고 돈을 잃는다고 생각했습니다. 그레이엄은 자신의 투자 철학을 글로 정리해 가르쳤고 그가 쓴《증권분석》과《현명한 투자자》는 투자 분야의 고전이 되었습니다.

그레이엄은 1930년대 뉴욕에서 설립한 투자 회사 그레이엄-뉴먼 코퍼레이션Graham-Newman Corporation을 운영했습니다. 이 회사의 투자 철학은 그레이엄의 저서에서 강조한 원칙에 기초했고, 저평가된 주식을 찾기 위해 정량적 투자기법을 도입한 가치투자 펀드를 운용했습니다.

그레이엄-뉴먼의 1945~1956년 수익률

연도	수익률(%)	연도	수익률(%)
1945	26.9	1951	16.5
1946	−8.2	1952	15.6
1947	12.3	1953	1.2
1948	14.6	1954	13.7
1949	20.1	1955	20.2
1950	26.9	1956	26.5
연복리 수익률			17.4

* 나머지는 자료를 찾지 못했다.

1945~1956년 그레이엄-뉴먼의 성과는 다음과 같다.

	그레이엄-뉴먼	S&P500
연복리 수익률	17.4%	18.3%
운용 보수	-1.9	
주주들의 연복리 수익률	15.5%	

그레이엄-뉴먼에서 가장 유명한 직원은 1954년부터 1956년까지 애널리스트로 근무한 워런 버핏입니다. 이곳에서 버핏은 자신을 역사상 가장 성공적인 투자자로 만들 가치투자의 철학과 활용법을 배웠습니다. 당대 최고의 투자 회사였던 그레이엄-뉴먼의 가치투자 전략은 투자자들에게 훌륭한 수익을 가져다주었고, 오늘날에도 이 회사의 투자 원칙을 따르는 투자 회사들이 많습니다.

그레이엄은 1950년대 중반 그레이엄-뉴먼에서 은퇴했지만, 투자 분야에서 집필과 강의 활동을 계속했습니다. 은퇴 후에도 금융계에서 영향력 있는 인물로 남아 있었던 그레이엄은 컬럼비아 경영대학교에서 교수로 재직하며 여러 세대의 투자 전문가들을 키웠습니다. 집필과 강의 활동 외에도 시장에 대한 통찰력 있는 의견을 제시했고, 수많은 언론과 금융 전문가들이 그의 조언을 구했습니다.

그레이엄은 1976년에 세상을 떠났지만, 가치투자의 아버지로서 그의 유산은 여전히 살아 있습니다. 펀더멘털 분석을 강조하는 그의 투자 철학은 전 세계 투자자들에게 영향을 미치고 있습니다. 오늘날 수많은 투자자가 그레이엄을 가장 위대한 투자 사상가로, 그의 저서 《현명한 투자자》를 가장 위대한 투자책으로 여기고 있습니다.

2장

벤저민 그레이엄의 투자 철학

벤저민 그레이엄은 세계 최초의 가치투자자로 알려져 있습니다. 그는 자신의 책에서 저평가된 주식을 사서 장기적으로 보유한다는 생각을 바탕으로 가치투자 철학을 정리했습니다. 그에 따르면 저평가된 주식은 수익, 자산, 배당 등 여러 가지 펀더멘털을 분석해 산출할 수 있는, 내재가치보다 낮은 가격으로 거래되는 주식을 가리킵니다.

그레이엄은 주식의 저평가 여부를 판단하기 위해 주가수익비율(P/E), 주가순자산비율(P/B), 배당 수익률 등 다양한 금융지표를 사용할 것을 권고했습니다. 재무 건전성과 미래 성장 잠재력을 완벽하게 파악하기 위해서는 재무상태표와 손익계산서 등 기업의 재무제표를 철저히 조사하고 분석하는 것이 중요하다고도 강조했습니다.

그레이엄은 시장이 비효율적인 경우가 많고, 그런 시장에서 내재가치보다 낮은 가격에 팔리는 주식을 찾을 기회가 있다고 생각했습니다. 그는 이런 주식을 할인된 가격에 매입함으로써, 언젠가 시장이 주식의 진정한 가치를 반영하여 장기적인 이익을 창출할 수 있을 것이라 믿었습니다.

'안전마진'은 그레이엄의 가치투자 철학의 핵심 개념입니다. 안전마진은 주식의 내재가치와 시장 가격의 차이를 나타내는데, 주식 시장에 내재된 위험으로부터 투자자를 보호하는 완충 역할을 합니다. 투자자가 안전마진이 큰 주식을 사면 예상 내재가치보다 현저히 낮은 가격에 사는 것을 의미합니다. 이는 투자자가 주식의 내재가치를 다소 과대평가하는 실수를 범하더라도 투자자가 여전히 이익을 낼 가능성이 높다는 것을 의미합니다.

안전마진은 또한 주식 가격에 부정적인 영향을 미칠 수 있는 시장 변동성과 예상치 못한 사건으로부터 투자자를 보호하는 데 도움이 됩니다. 안전마진이 큰 주식을 매수한다면, 투자자는 시장이 단기적인 하락을 경험하더라도 장기적으로 이익을 실현할 가능성이 더 높습니다. 안전마진은 가치투자에서 중요한 개념이며, 오늘날에도 위험을 줄이고 주식 시장에서 성공 가능성을 높이는 수단으로 여전히 널리 사용되고 있습니다.

안전마진에 대한 설명은 다소 불충분하고 어려워 보인다. 좀 더 자세한 설명을 덧붙여 보았다.

안전마진은 내재가치와 시장 가격(주가)의 차이를 가리키는데, 그레이엄은 안전마진이 큰 주식에만 투자할 것을 강조했다. 예를 들어 A주식의 내재가치는 100이고 주가는 90, B주식의 내재가치는 100이고 주가는 50이라고 생각해 보자. 그레이엄에 따르면 안전마진이 작은 A주식은 '안전한 투자'라고 보기 어렵다. 반면 안전마진이 큰 B주식은 상당히 안전한 투자이다.

1. 투자자가 내재가치를 잘못 계산할 수도 있다
   - 처음에는 내재가치를 100으로 생각했으나 분석을 잘못해서 내재가치가 80일 수도 있다. 이 경우에 A주식을 주가 90에 샀다면 저평가된 주식이 아니라 고평가된 주식을 산 것이다.
   - 그런데 B주식을 주가 50에 샀다면 내재가치를 잘못 측정해서 실제 내재가치가 100이 아니라 80에 불과해도 저평가된 주식을 샀다는 사실에는 변함이 없다.

2. 내재가치가 하락할 수도 있다
   - 처음에는 내재가치가 100이라고 옳게 측정해도 시간이 흐르면서 기업의 펀더멘털이 악화되거나 관련 업종 또는 경제 상황이 악화되면서 기업의 내재가치가 하락할 수 있다.
   - 내재가치가 100에서 80으로 줄었다면 주가 90에 산 주식은 비싸게 산 셈이 된다. 그러나 주가 50에 산 B주식은 여전히 저평가되어 있다.

이렇게 안전마진이 큰 주식을 사면 내재가치를 잘못 계산하거나 내재가치가 하락하더라도 수익을 얻을 가능성이 크다.

그레이엄은 투자 행위에는 절제되고 인내심 있는 접근이 필요하며, 감정적인 결정을 피하고 장기적인 관점을 취하는 것이 중요하다고 강조했습니다. 그의 가치투자 철학은 오늘날에도 가치투자자 대부분이 활용하고 있으며, 그의 유산은 《현명한 투자자》가 출간되고 거의 90년이 지난 지금까지도 큰 영향을 미치고 있습니다.

그레이엄이 언급한 PER, PBR, 배당 수익률을 아직도 투자에 활용할 수 있을까? 퀀트 백테스트 프로그램 '퀀터스(quantus.kr)'로 미국 주식과 한국 주식을 분석해 보았다.

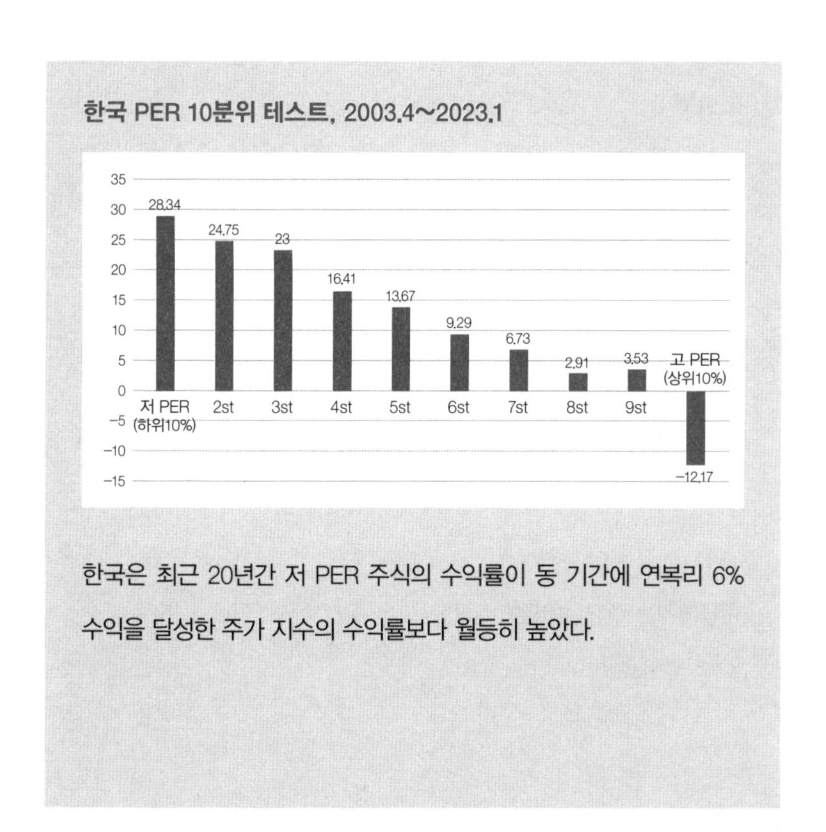

한국 PER 10분위 테스트, 2003.4~2023.1

한국은 최근 20년간 저 PER 주식의 수익률이 동 기간에 연복리 6% 수익을 달성한 주가 지수의 수익률보다 월등히 높았다.

한국 PBR 10분위 테스트, 2003.4~2023.1

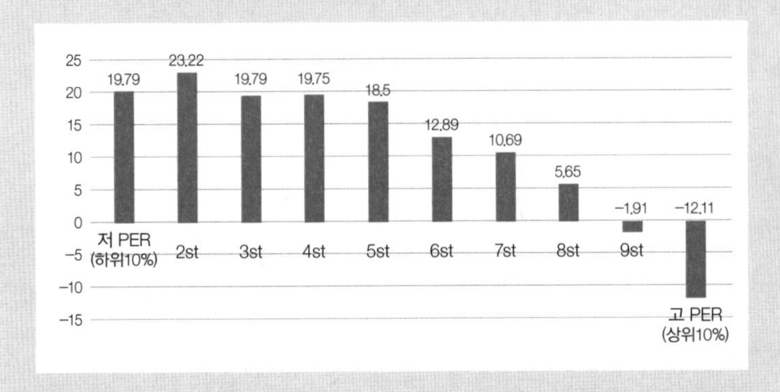

PBR를 보면 저 PBR 주식의 수익률이 주가 지수의 수익률보다 월등히 높았다.

한국 배당 수익률 10분위 테스트, 2003.4~2023.1

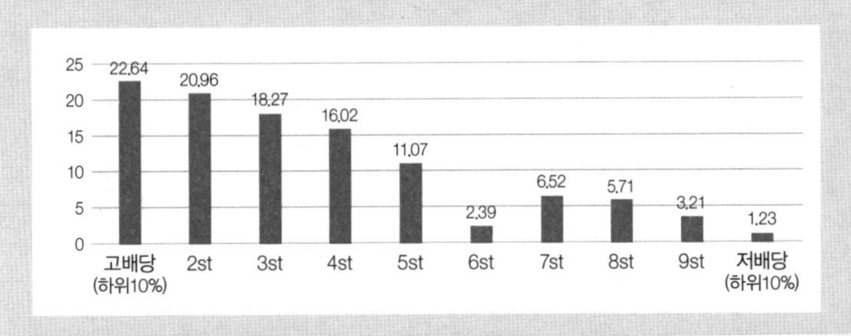

한국에서는 배당 수익률이 높은 고배당주의 수익률이 주가 지수의 수익률보다 월등히 높았다.

미국 PER 10분위 테스트, 2003.4~2023.1

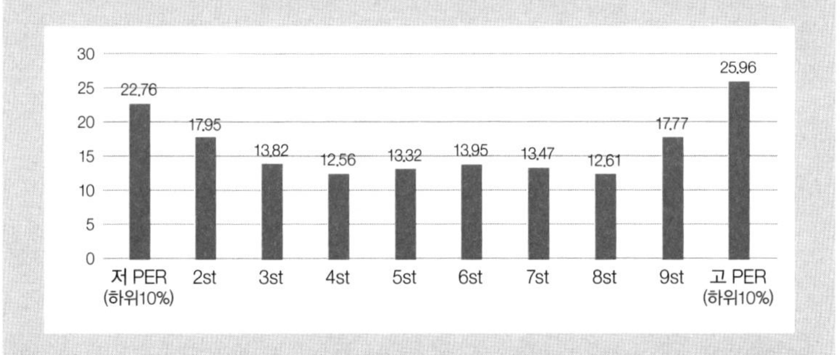

미국도 저 PER 주식의 수익률이 동 기간에 연복리 10% 정도 상승한 주가 지수의 수익률보다 월등히 높았다.

미국 PBR 10분위 테스트, 2003.4~2023.1

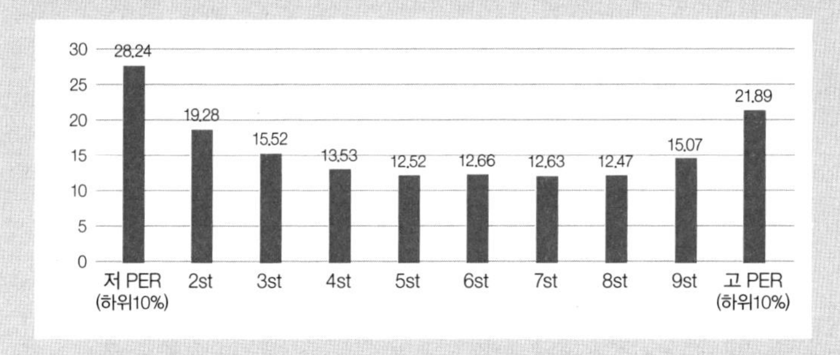

미국도 저 PBR 주식의 수익률이 주가 지수의 수익률보다 훨씬 높았다.

미국 배당 수익률 10분위 테스트, 2003.4~2023.1

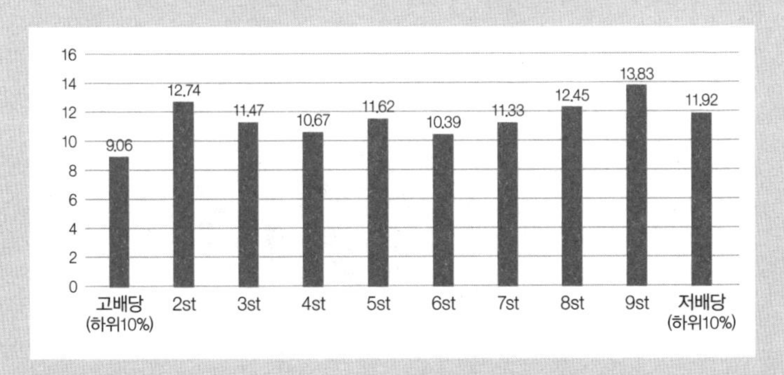

미국의 경우 고배당주 투자를 통해 초과 수익을 낼 수 없었다. 미국에서는 '고배당 = 고수익'이라는 패턴이 더 이상 통하지 않는 것이다.

결론적으로 그레이엄이 주장한 바와 같이 저PER, 저PBR, 고배당주들은 그가 세상을 떠난 후에도 높은 수익을 내고 있다(미국 배당주만 제외). 1930년대 만든 이론이 21세기에도 유효하다니 놀랍지 않은가?

3장

《증권분석》과 《현명한 투자자》

《증권분석》

벤저민 그레이엄과 데이비드 도드David Dodd가 공저한 《증권분석》은 최초의 가치투자 책입니다. 1934년에 처음 출간된 이 책은 이후 여러 차례 개정을 거쳤습니다. 《증권분석》은 주식, 채권, 기타 유가증권을 분석하고 평가하는 포괄적인 방법론을 제시합니다. 재무제표 분석, 산업 분석, 주식과 채권의 밸류에이션 등의 주제를 다루고 있으며, 가치투자의 과정과 철학에 대한 원리를 가르칩니다. 《증권분석》은 오늘날 가치투자자에게 고전을 넘어 경전으로 여겨지며, 수많은 투자자와 금융 전문가에게 큰 영향을 미쳤습니다. 이 책이 투자의 고전으로 인정받는 이유는 다음과 같습니다.

- 선구적인 명작: 대공황 시대인 1934년에 처음 출간되었으며, 투자와 증권 분석에 관한 최초의 책 중 한 권입니다. 또한 가치투자 분야의 기초를 마련했고, 오늘날에도 여전히 널리 사용되는 주

식과 채권을 분석하는 틀을 제공했습니다.

- 금융 산업에 미친 영향: 워런 버핏을 포함한 여러 세대의 투자자들에게 깊은 영향을 미쳤습니다. 이 책에서 제시한 투자 원칙과 기법은 오늘날 전문 투자자가 필수적으로 숙지할 내용이기도 합니다.
- 시대 초월: 시대를 초월하며 수많은 검증에도 살아남았습니다. 초판이 발행된 지 거의 90년이 지난 오늘날에도 투자자들에게 적절하고 유용한 원칙을 제시합니다
- 포괄적인 접근 방식: 재무제표 분석, 산업 분석, 주식 및 채권의 밸류에이션 등의 주제와 관련하여 포괄적이고 상세한 방법론을 제시합니다. 초보 투자자이든 경험이 풍부한 투자자이든 실전에서 활용할 수 있는 전략들이 많습니다.

이러한 이유로 《증권분석》은 투자 분야에서 고전으로 알려져 있으며, 해당 분야에 관심 있는 사람이라면 누구나 읽어야 할 필독서로 평가받고 있습니다.

《증권분석》에 나오는 가장 유명한 명언은 "단기적으로 시장은 투표기계이지만, 장기적으로 보면 저울이다In the short run, the market is a voting machine, but in the long run, it is a weighing machine"입니다. 이 말은 단기적으로는 주가가 감정, 의견, 시장 심리의 영향을 크게 받지만 장기적으로는 주가가 기업의 내재가치를 반영한다는 점을 의미합니다. 다시 말해, 기업 가치에 대한 시장의 의견은 단기적으로는 정확하지 않을 수 있지만, 시간이 흐를수록 재무 성과와 향후 전망에 따라 기업의 가격을

정확하게 파악할 것이라는 뜻입니다.

이 명언은 투자 결정을 내릴 때 기업의 펀더멘털에 초점을 맞추고 시장의 소음은 무시하라는 의미로 가치투자자들에 의해 종종 인용되곤 합니다.

이 내용은 틀렸다. 워런 버핏이 그레이엄의 말이라고 인용했는데, 《증권분석》과 《현명한 투자자》에서는 저 문장을 찾을 수 없다. 나중에 버핏은 그레이엄이 컬럼비아대학 강의실에서 저 말을 했다고 정정했는데, 확실한 정보는 찾기 어렵다. 그러나 저 문장이 널리 알려진 것은 사실이다. 이렇게 챗GPT가 사실이 아닌 내용을 답하는 경우가 간혹 있다.

청산가치보다 시가총액이 낮은 주식에 투자하라고?

그레이엄은 현재 순자산가치가 주식의 시장가치보다 큰 기업의 주식을 집중적으로 매수하는 가치투자 전략인 'NCAV' 전략을 《증권분석》에서 소개했습니다. 순자산가치란 기업의 순현금자산가치(유동자산에서 부채를 뺀 값)를 의미합니다.

순자산가치 = 유동자산 - 부채

이 접근법은 순자산 기준으로 저평가된 기업은 매우 저평가되어 있을 가능성이 높으며 투자자에게 안전마진을 제공한다는 생각에 기반합니니다. 순자산 가치가 시장 가격보다 낮은 주식을 매수하고 인내심 있게 기다리면 언젠가는 시장이 기업의 진정한 가치를 인정해서 주가가 상승할 것으로 기대하는 투자전략입니다.

NCAV 전략을 실행한 일부 투자자는 높은 수익을 달성한 반면 다른 투자자는 실망스러운 결과가 있었습니다. 다른 투자 전략과 마찬가지로 NCAV 전략의 성공 여부는 선택한 기업의 품질, 시장 상황, 투자 시기 등 여러 요인에 따라 달라집니다.

하지만 벤저민 그레이엄과 워런 버핏을 비롯한 많은 성공한 가치투자자들이 NCAV 전략을 사용했으며 상당한 수익을 거두었습니다. 그러나 이 접근법을 사용하려면 재무제표에 대한 철저한 이해와 장기적인 투자 관점이 필요하다는 점에 유의해야 합니다.

한국의 경우 순자산가치/시가총액(NCAV) 상위 10% 기업에 투자했을 경우 2003~2022년 연복리 25% 정도의 수익률을 낼 수 있었다. (부채비율 200% 이상 기업, 적자기업 제외)

《현명한 투자자》

《현명한 투자자》의 주요 논제는 성공적인 투자를 위해서는 장기투자와 가치투자의 원칙에 초점을 맞추라는 것입니다. 기업의 재무제표를 이해하고, 경영과 성장 전망을 평가하며, 저평가된 주식을 찾는 사람이 단순히 군중을 따르거나 시장 동향에 따라 결정을 내리는 사람보다 성공할 가능성이 높기 때문입니다.

《현명한 투자자》는 투자에서 절제력과 인내가 중요하며, 장기적인 성공을 위해서는 체계적이고 정량적인 접근법을 따라야 한다고 주장합니다. 아울러 분산 투자의 중요성과 지나친 낙관 및 투기의 위험성을 강조합니다. 요컨대 이 책에 따르면 장기적 관점과 체계적 접근이 결합된 가치투자가 투자 성공의 열쇠입니다.

워런 버핏은 1950년대 펜실베이니아대학에 재학 중일 때 《현명한 투자자》를 처음 읽었습니다. 그는 여러 차례 이 책을 높이 평가했고, 가치투자자를 위한 "성경"이라고 언급하기도 했습니다. 버크셔 해서웨이 주주들에게 보낸 편지에서도 "지금까지 쓰인 투자에 관한 최고의 책"이라며 거듭 추천하기도 했습니다. 버핏은 이 책이 자신에게 가치투자의 원리를 소개했으며 자신의 투자 철학을 형성하는 데 결정적인 도움을 주었다고 말합니다.

워런 버핏은 여러 인터뷰와 강연을 통해 《현명한 투자자》에 요약된 원칙이 여전히 통한다고 강조합니다. 그는 이 책이 합리성과 절제력에 초점을 맞춘 점을 높게 평가했고, 이 책이 강조하는 것처럼 심리적 실수와 편견을 피하는 것이 중요하다고 주장했습니다.

《현명한 투자자》에 나오는 '미스터 마켓' 비유는 벤저민 그레이엄이 주식시장의 행태를 설명하기 위해 사용한 개념입니다. 주식시장 전체를 대표하는 미스터 마켓은 감정적이고 비이성적인 인물로, 내재가치가 반영되지 않은 가격으로 주식을 사거나 팔겠다고 제안합니다. 매일 투자자를 찾아가 때로는 너무 높은 가격을, 때로는 너무 낮은 가격을 제시합니다. 이 우화의 핵심은 미스터 마켓의 제안에 휘둘리지 말고 기업의 펀더멘털에 초점을 맞춰 내재가치에 따라 투자를 결정해야 한다는 것입니다.

미스터 마켓이 내재가치 대비 너무 낮은 가격을 제시하면 그 주식을 사고, 내재가치 대비 너무 높은 가격을 제시하면 보유한 주식을 팔거나 신규 매수를 자제하라는 것이다.

'미스터 마켓' 우화는 투자자들에게 독립성을 가르치고 잘못된 투자 결정으로 이어질 수 있는 흔한 실수와 편견을 피하도록 하기 위한 것입니다. 기업의 펀더멘털에 초점을 맞추고 미스터 마켓의 감정적인 변동을 무시함으로써, 투자자는 비용이 많이 발생하는 실수를 피하고 주식시장에서 장기적인 성공을 거둘 수 있습니다.

다음은 《현명한 투자자》에서 가장 유명하고 자주 인용되는 구절입니다.

- "증시는 조급한 사람에게서 인내심 있는 사람에게 돈을 전달하는 도구이다."
- "가격은 당신이 지불하는 것이고, 가치는 당신이 얻는 것이다."
- "투자자의 가장 큰 문제, 최악의 적은 투자자 자신일 가능성이 높다."

- "현명한 투자자는 낙관주의자에게 팔고 비관주의자에게 사는 현실주의자이다."
- "투자의 기술은 이해하기 어렵지 않지만, 실행하기는 어렵다."

이 명언들은 가치투자의 원칙에 대해 귀중한 통찰력을 제공하고 투자 과정에서 절제력과 인내, 합리성의 중요성을 강조합니다.

《증권분석》과 《현명한 투자자》를 비교하면 다음과 같습니다. 《증권분석》은 1934년에 전문 투자자를 대상으로 쓰인 책으로, 증권 시장에 대한 포괄적인 분석 틀을 제공하고 내재가치와 안전마진이라는 개념을 소개합니다. 펀더멘털 분석의 원칙에 초점을 맞추고 주식과 채권을 평가하는 상세한 지침도 제공합니다. 반면 《현명한 투자자》는 1949년에 일반 대중을 대상으로 쓰인 책으로, 《증권분석》에 소개된 원칙을 간략한 버전으로 소개하며 투자 과정에서 절제력과 인내, 장기적인 관점의 중요성을 강조합니다. 또한 주식시장에 접근하는 방법에 대해 실질적인 조언을 제공하고, 리스크와 분산 투자, 안전마진의 중요성 등을 다룹니다.

요약하면, 《증권분석》은 좀 더 기술적이고 증권 시장에 대한 심도 있는 분석을 제공하는 반면, 《현명한 투자자》는 일반인이 쉽게 접근할 수 있고 주식투자에 대한 실질적인 조언이 많습니다.

4장
그레이엄이 투자 세계에 미친 영향

내재가치와 안전마진에 초점을 맞춘 벤저민 그레이엄의 투자 철학은 워런 버핏을 포함한 여러 세대의 투자자에게 큰 영향을 미쳤습니다.

그레이엄은 주식의 내재가치를 결정하기 위해 철저히 재무 분석을 수행하는 것과, 내재가치보다 현저히 할인된 가격으로 안전마진이 높은 주식에만 투자할 것을 강조했습니다. 이러한 접근 방식은 모멘텀 투자에 초점을 맞춘 당시의 지배적인 투자기법과 극명한 대조를 이루었습니다.

그레이엄의 아이디어는 금융 시장이 변화함에 따라 진화해 왔습니다. 그러나 그의 핵심 원칙은 변함이 없고, 현대 가치투자자들도 그의 원칙을 따르고 있습니다.

1. 워런 버핏: 버핏은 그레이엄의 제자였으나 나중에 자신만의 가치투자 기법을 만들어 냈습니다. 워런 버핏의 활약은 다음 챕터에서 살펴볼 예정입니다.

2. 금융 이론의 진화: DCF 등 현대 금융 이론의 발전은 가치투자의 원칙을 구체화하는 데 도움을 주었습니다.

- 정량 분석: DCF 분석 등 재무 모델링 도구와 정량적 분석 기법의 개발은 기업의 내재가치를 더 정확하게 계산하고 저평가된 주식을 식별하는 데 도움을 주었습니다.
- 경험 축적: 시장의 움직임과 투자 성과에 대한 경험적 증거의 축적은 주가 움직임의 원인을 더 잘 이해하고 가치투자의 원칙을 구체화하는 데 도움을 주었습니다.
- 행동재무학: 행동재무학의 성장은 심리학과 사회학의 통찰력을 재무 의사 결정에 통합하는 데 도움을 주었고, 시장과 투자자의 행동에 대한 이해력을 높였습니다.
- 리스크 관리: 금융 이론은 리스크 관리의 중요성을 강조하여 가치투자자들이 리스크를 더 잘 이해하고 그들의 투자 결정에 통합하도록 도왔습니다.

전반적으로, 금융 이론의 진화는 주식을 분석하고 평가하는 데 있어 더욱 정교한 도구와 통찰력을 제공했습니다. 또한 시장의 흐름과 리스크 관리에 대한 보다 깊은 이해를 제공하여 가치투자를 정교하게 만드는 데 도움을 주었습니다.

DCF는 무엇인가?

DCF는 "현금흐름 할인법Discounted Cash Flow"을 의미합니다. 기대 미래 현금흐름에 기초하여 투자자산의 내재가치를 추정하는 평가 방법입니다.

DCF 공식은 아래와 같다.

$$DCF = \frac{CF_1}{(1+r)^1} + \frac{CF_2}{(1+r)^2} + \frac{CF_3}{(1+r)^3} + \cdots + \frac{CF_n}{(1+r)^n}$$

DCF = 내재가치 , CF = 현금흐름, R = 할인율

DCF 모형은 화폐의 시간가치와 적절한 할인율을 고려하여 투자의 기대 미래현금흐름의 현재가치를 계산합니다. 할인율은 투자자가 투자의 위험을 감수하기 위해 요구할 기대수익률을 나타냅니다.

DCF는 주식, 부동산, 기타 자산의 가치를 결정하기 위해 널리 사용되는 방법입니다. 현금흐름의 현재 가치를 추정하고 현재 시장 가격과 비교할 수 있으므로 안정적이고 예측 가능한 현금흐름을 가진 기업의 가치를 평가하는 데 특히 유용합니다.

요약하면, DCF는 미래현금흐름과 할인율을 이용하여 투자의 내재가치를 추정하고 그것이 시장 가격에 비해 과대평가 또는 과소평가되었는지를 판단하는 금융모델입니다.

3. 뮤추얼 펀드 및 기관 투자자의 성장: 20세기 후반에 뮤추얼 펀드와 기관 투자자들의 성장은 가치투자의 인기 상승에 도움을 주었습니다.

뮤추얼 펀드와 기관 투자자는 투자 트렌드를 주도하는데, 가치투자를 하는 펀드와 기관이 늘어나면서 가치투자에 대한 인지도가 높아졌고 더 많은 투자자가 가치투자를 따르도록 이끌었습니다.

특히 뮤추얼 펀드는 여러 저평가된 종목에 분산 투자를 할 수 있는 다양한 가치 중심의 펀드를 제공함으로써 개인투자자가 가치투자에 더욱 쉽게 접근할 수 있도록 도왔습니다. 연기금 같은 기관 투자자들도 가치투자를 수용하여 장기적으로 일관된 수익을 창출하기 위한 투자 전략의 초석으로 사용하고 있습니다.

4. 비판과 개량: 일부 투자자는 가치투자에 대한 효과에 의문을 제기했습니다. 가치투자자는 이에 대응하여 가치투자의 원칙과 기술을 개량하려고 노력했습니다.

가치투자에 대한 주요 비판은 다음과 같습니다.

- 효율적인 시장: 효율적인 시장에서는 모든 정보가 빠르게 주가에 반영되어 저평가된 주식을 찾기 어렵고, 따라서 가치투자가 별로 효과적이지 않다고 주장합니다.
- 수익률 저하: 가치투자 전략이 (특히 경제 확장 시기에 성장주 투자 등) 다른 투자 전략에 비해 성과가 낮을 것이라고 주장합니다.
- 투자 기회 손실: 고성장 주식을 피하거나 과소평가할 수 있기 때

문에 좋은 투자 기회를 놓치는 결과를 초래할 수 있다고 주장합니다.

가치투자자는 이러한 비판에 대해 다음과 같이 대응해 왔습니다.

- 장기 성과에 집중: 가치투자는 장기적인 투자 접근법이며, 단기적으로는 저조한 실적이 발생할 수 있습니다.
- 시장의 비효율성: 시장은 항상 효율적이지는 않으며, 가격이 잘못 책정된 주식을 알아볼 기회를 제공합니다. 가치투자는 그러한 기회를 알아볼 수 있는 체계적인 접근법을 안내합니다.
- 포트폴리오 분산: 가치투자자는 포트폴리오 분산을 강조하고 균형 잡힌 포트폴리오에 성장주와 가치주를 혼합하여 투자해야 한다고 주장합니다.

가치투자가 주가 지수를 이길 수 있다는 증거가 있는가?

가치투자는 현재 내재가치 대비 저평가된 종목이 고평가된 종목보다 높은 수익률을 거둘 가능성이 크다는 생각에 기초합니다.

여러 연구에 따르면 가치주(저 PBR)는 장기적으로 성장주(고 PBR)를 능가하는 경향이 있습니다. 예를 들어 저명한 재무학자인 유진 파마와 케네스 프렌치의 연구에 따르면 1926년부터 2006년까지 미국 증시에서 가치주는 성장주를 앞질렀습니다.

그러나 가치투자는 단기적으로 실적이 저조할 수 있으므로 인내심과 장기적인 관점이 필요합니다. 또한 과거 실적이 미래 수익을 보장하는 것은 아니며, 가치주가 주가 지수보다 수익이 안 좋은 기간이 수년간 지속될 수도 있습니다.

결론적으로, 가치투자는 장기적으로 주가 지수보다 수익이 높을 가능성이 크지만, 상당 기간 수익이 저조할 수도 있습니다.

가치투자는 오랫동안 여러 비판을 받아 왔지만 지속적으로 발전해 왔고 여전히 수많은 투자자가 활용하는 투자 전략입니다.

글로벌 시장에서 파마-프렌치의 연구는 아직도 유의미한가? 1990~2022년 시가총액별 가치주(저 PBR)와 성장주(고 PBR) 주식의 수익률을 분석해 보면 아래와 같은 결과가 나온다.

1990~2022년 글로벌 가치주 및 성장주의 연복리 수익률, 시가총액별 분포

	성장주 (PBR 상위 20%)	2	3	4	가치주 (PBR 하위 20%)
소형주 (시가총액 하위 20%)	4.10%	7.48%	9.40%	10.84%	17.80%
2	1.80%	5.46%	6.78%	8.31%	9.83%
3	3.81%	5.40%	7.69%	8.11%	9.52%
4	5.83%	7.33%	7.68%	8.16%	8.45%
대형주 (시가총액 상위 20%)	6.10%	8.42%	8.34%	8.00%	8.84%

특히 소형주(시가총액 하위 20%) 부분에서는 가치주의 수익률(연복리 17.8%)이 성장주(연복리 4.1%)보다 훨씬 높았다. 대형주(시가총액 상위 20%) 부분에서도 가치주(연복리 8.84%)의 수익률이 성장주(연복리 6.1%)보다 높았는데 초과수익은 소형주보다는 훨씬 작았다. '가치주'를 저 PBR 주식이라고 정의한다면 가치주의 수익률이 높다는 것은 어느 정도 증명된 사실이다.

5장

벤저민 그레이엄의 제자들

데이비드 도드

그레이엄을 설명할 때 데이비드 도드David Dodd(1895~1988)를 빼놓을 수 없습니다. 그레이엄의 협력자이자 《증권분석》의 공동 저자인 도드는 그레이엄과 함께 가치투자의 원칙을 제시하고 그 내용을 구체화했습니다. 도드는 기업의 재무제표 분석, 재무 건전성 평가를 위한 정량적 지표, 안전마진의 원칙 개발 등에 참여했습니다. 그는 투자 포트폴리오의 다각화가 중요하며, 투자자가 자신의 개인적인 위험 선호도를 명확히 이해할 필요가 있다고 주장했습니다.

벤저민 그레이엄과 데이비드 도드의 관계는 상호 보완적이었습니다. 그레이엄은 증권 분석 분야의 선구자였고 도드는 기업 금융과 은행 분야의 전문가였습니다. 종목 선정과 투자 원칙에 대한 그레이엄의 아이디어와 재무 분석과 은행 업무에 대한 도드의 전문 지식이 결합하여 포괄적이고 균형 잡힌 관점을 찾아냈습니다.

벤저민 그레이엄과 데이비드 도드는 영향력 있는 교사이자 멘토였고, 두 사람이 가르친 많은 학생들이 성공한 투자자가 되었습니다. 가장 주목할 만한 학생들은 다음과 같습니다.

워런 버핏

다음 챕터에서 자세히 설명할 예정입니다.

빌 루안

뉴욕에서 태어난 빌 루안Bill Ruane(1931~2005)은 하버드대학교에서 경제학을 공부하면서 가치투자를 처음 접했습니다. 대학 졸업 후 그는 애널리스트로 경력을 쌓았고 가치투자의 원칙에 따라 투자하는 뮤추얼 펀드 '세쿼이아 펀드Sequoia Fund'를 설립했습니다. 루안은 동세대에서 가장 성공적인 투자자 중 한 명이 되었고 세쿼이아 펀드 역시 세계에서 가장 높은 평가를 받는 투자 펀드 중 하나가 되었습니다.

가치투자에 대한 강한 신념을 지녔던 빌 루안은 그레이엄과 도드가 가르친 원칙을 변함없이 고수한 것으로 유명했습니다. 또한 그는 특유의 겸손함과 성실성 그리고 자선 사업을 통해 투자업계에서 널리 존경을 받았습니다.

세쿼이아 펀드는 빌 루안과 리처드 커니프Richard Cunniff가 1970년에 설립한 뮤추얼 펀드로, 역대 가장 성공적인 가치투자 펀드 중 하나로 평가받고 있습니다. 오랜 시간 세쿼이아 펀드는 주가 지수 대비 초과수익을 지속적으로 달성했습니다. 세쿼이아 펀드의 특징은 다음과 같습니다.

1. 장기 실적: 지속적으로 주식시장을 능가하며 투자자들에게 높은 수익을 제공했습니다. 이는 펀드 설립 당시부터 투자 철학의 핵심이었던 가치투자 원칙에 초점을 맞춘 영향이 큽니다.
2. 지속적 초과수익: 세쿼이아 펀드는 설립 이래 대부분의 기간 동안 주식시장을 능가하며 하락장에도 높은 수익을 달성할 수 있는 능력을 보여주었습니다.
3. 우량주 집중: 탄탄한 펀더멘털을 지닌 우량 기업에 투자하는 것으로 유명하며, 투자 포트폴리오의 대부분을 블루칩 우량주에 집중했습니다.
4. 낮은 거래량: 장기 투자에 초점을 맞춰서 상대적으로 거래를 적게 하는 펀드로 명성이 높습니다. 이런 접근 방식은 거래 비용을 줄이고 세금 효율성을 높이는 데 도움을 주었습니다.

아직은 챗GPT가 펀드의 투자수익률 등 세세한 자료는 찾을 수 없어서 직접 세쿼이아 펀드의 수익률을 찾아봤다. 세쿼이아 펀드의 연간 수익률을 아래와 같다.

세쿼이아 펀드와 S&P500 지수의 연별 수익률, 1970~2018년

연도	세쿼이아	S&P500	연도	세쿼이아	S&P500
1970	11.32%	26.14%	1994	3.63%	1.31%
1971	13.47%	14.30%	1995	41.38%	37.54%
1972	3.76%	19.00%	1996	21.52%	22.91%

1973	−24.13%	−14.69%	1997	43.19%	33.32%
1974	−15.60%	−14.69%	1998	35.25%	28.55%
1975	60.50%	37.23%	1999	−16.54%	21.04%
1976	72.53%	23.93%	2000	20.06%	−9.10%
1977	19.89%	−7.16%	2001	10.52%	−11.89%
1978	23.93%	6.57%	2002	2.64%	−22.10%
1979	12.05%	18.61%	2003	17.12%	28.66%
1980	12.66%	32.50%	2004	4.66%	10.88%
1981	21.49%	4.92%	2005	7.78%	4.91%
1982	31.11%	21.55%	2006	8.34%	15.78%
1983	27.31%	22.56%	2007	8.40%	5.57%
1984	18.50%	6.27%	2008	−27.03%	−37.00%
1985	27.96%	31.72%	2009	15.38%	26.45%
1986	13.37%	18.67%	2010	19.50%	15.06%
1987	7.41%	5.25%	2011	13.19%	2.11%
1988	10.59%	16.61%	2012	15.68%	15.99%
1989	27.57%	31.67%	2013	34.58%	32.37%
1990	3.83%	−3.18%	2014	7.55%	13.68%
1991	40.00%	30.40%	2015	−7.29%	1.37%
1992	9.36%	7.62%	2016	−6.90%	11.95%
1993	10.87%	10.07%	2017	20.06%	21.82%
			2018	2.95%	5.10%

빌 루안이 펀드 운용에 직접 참여한 시기는 정확히 알 수 없으나, 그가 살아 있었던 1970~2004년 연복리 수익률은 16.3%였으며, 이 기간에 원금은 195배 성장했다. 1975년부터 1998년까지 연간 손실이 단 한 번도 없었다는 점도 매우 놀랍다!

벤저민 그레이엄과 마찬가지로, 빌 루안은 내재가치에 비해 저평가된 주식을 찾는 가치투자자입니다. 그는 재무제표를 엄밀히 분석하고 수익성과 성장 잠재력을 지닌 기업을 찾는 데 집중했습니다. 그러나 루안의 투자 철학은 그레이엄과 몇 가지 눈에 띄는 차이점도 있습니다.

예를 들어 그레이엄은 내재가치보다 할인된 가격으로 거래하는 회사를 찾는 데 중점을 두었지만, 루안은 기업의 퀄리티와 경영진의 우수성에 더 큰 중점을 두었습니다. 성장 전망이 강한 우량 기업을 발굴해 장기적으로 보유하는 것이 성공 투자의 핵심이라고 본 것입니다. 루안은 성장주에 집중하고 좀 더 공격적으로 투자에 접근했습니다. 그는 장기적으로 자본 이득을 얻을 가능성이 높고 빠르게 성장하는 신생 회사에 투자한 것으로 알려져 있습니다.

워런 버핏과 비슷하게, 양질의 성장 기업을 발굴해 장기 보유하는 것이 중요하다고 생각한 루안의 투자법은 그가 역대 최고의 가치투자자 중 한 명으로 명성을 쌓는 데 도움을 주었습니다.

월터 슐로스

월터 슐로스Walter Schloss(1916~2012)는 컬럼비아 경영대학원에서 벤저민 그레이엄의 가르침을 받아 성공적인 가치투자자가 된 인물입니다. 그는 저평가된 주식을 찾는 능력으로 유명하며 주식 선정에 정량적이고 체계적인 접근법을 사용한 최초의 투자자 중 한 명입니다.

뉴욕에서 태어난 월터 슐로스는 제2차 세계 대전에 참전한 후 금융계에 첫발을 내디뎠습니다. 그는 벤저민 그레이엄의 회사에서 리서치 애널리스트로 투자 경력을 시작했습니다. 독립한 후에는 자산운용사 '월터 J. 슐로스 앤드 어소시에이츠Walter J. Schloss and Associates'를 창업했는데, 이 회사는 가치투자에 초점을 맞추고 우수한 실적을 거둔 것으로 유명합니다. 버핏은 버크셔 해서웨이 주주들에게 슐로스를 자주 추천했습니다. 버핏은 슐로스의 투자 스타일을 존중하고 그가 당대 최고의 가치투자자 중 한 명이라고 생각했습니다.

슐로스는 1955년부터 2000년까지 45년에 걸쳐 연복리 15.3%라는 놀라운 수익률을 달성했다. S&P500은 동 기간에 연복리 10% 정도 상승했다.

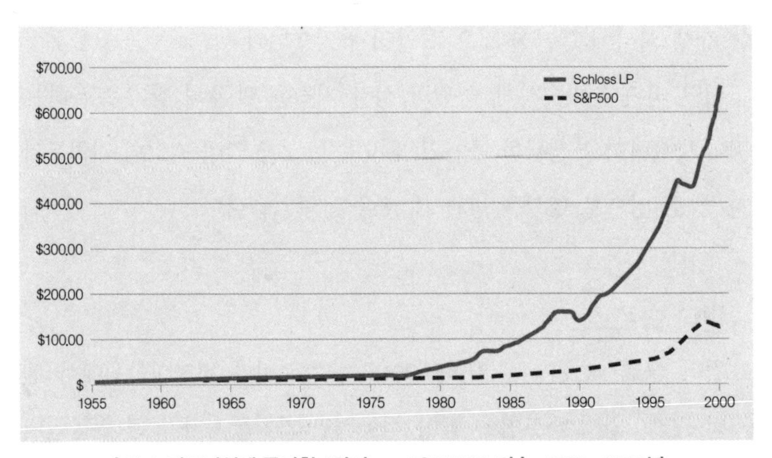

슐로스 파트너십에 투자한 1달러 vs. S&P5000 지수, 1956~2000년

월터 슐로스와 벤저민 그레이엄은 비슷한 투자 철학을 공유하지만 몇 가지 차이점이 있습니다. 그레이엄과 비교해, 슐로스는 좀 더 선호도가 떨어지고 내재가치보다 상당히 할인된 가격에 거래되는 '딥 밸류Deep Value' 주식에 초점을 맞추었습니다.

딥 밸류 투자와 '일반적인 가치투자Normal Value Investing'의 차이점은?

딥 밸류 투자는 내재가치보다 현저히 저평가된 종목을 찾는 가치투자 방식입니다. 이 투자의 핵심은 안전마진이 매우 저평가된 종목을 찾아 영구적인 자본 손실의 위험을 줄이는 것입니다.

딥 밸류 투자자는 PER과 PBR이 낮고, 순자산가치NCAV가 높고, 재무상태표가 튼튼한 기업을 찾습니다. 이런 기업이 내재가치보다 상당히 저평가되어 있어 장기적으로 높은 수익을 거둘 가능성이 크다고 믿기 때문입니다.

재무제표에 실제로 보이는 수치를 가장 중요하게 여기며 그 수치를 기반으로 저평가 및 고평가 여부를 판단한다. 퀀트 투자와 매우 유사하다!

반면, 일반적인 가치투자는 재무제표에 보이는 수익 또는 자산에 비해 저평가된 주식을 사는 일반적인 접근 방식입니다. 딥 밸류 투자처럼 재무재표만 보고 저평가된 주식을 찾지는 않습니다. 기업의 성장성과 경영진의 자질 등도 중요한 평가 고려 대상입니다.

한국에 딥 밸류 전략을 한번 테스트해 보았다.

- **필터** 금융주, 지주사, 관리종목, 적자기업(최신 분기 + 최신 4분기), 중국 상장 기업
- **포함 팩터** PER, PBR, NCAV
- **투자 규칙** 1) 위 3개 지표의 각 순위를 계산하고 평균 순위가 높은 20개 기업에 투자, 2) 리밸런싱: 분기 1회, 3) 거래수수료: 0.5%

결과는? 이렇게 2003년 4월부터 2023년 1월까지 투자했다면 연복리 수익률이 29.33%였다. 20년 동안 원금은 162배로 성장했을 것이다. 최근 1, 3, 5, 10, 20년 이 전략의 수익률과 코스피 지수의 수익률을 비교해 보자.

기간	딥 밸류 전략(%)	코스피 지수(%)
최근 1년	5.71	−8.95
최근 3년	11.21	4.61
최근 5년	5.02	−1.13
최근 10년	16.37	2.16
최근 20년	29.33	7.26

딥 밸류 전략이 지속적으로 코스피 지수의 수익률을 상회하는 것을 관찰할 수 있다. 딥 밸류 전략은 21세기 대한민국에서도 매우 유용한 전략이라고 볼 수 있다.

어빙 칸

벤저민 그레이엄의 컬럼비아대학원 학생이었던 어빙 칸Irving Kahn(1905~2015)도 성공적인 가치투자자입니다. 칸은 1920년대에 투자를 시작했고 가치투자 전문 자산운용사 '트위디 브라운Tweedy, Browne'의 파트너로 일했습니다. 그는 장기적인 투자 접근법과 역발상 투자로 유명하며 시장 침체기에 주식을 사들여 성공을 이루었습니다. 투자 분야에 대한 공헌을 인정받아 '투자 명예의 전당'에 입성하기도 했습니다.

톰 냅

톰 냅Tom Knapp(1950~2013)도 컬럼비아 경영대학원에서 벤저민 그레이엄의 수업을 들은 성공적인 가치투자자였습니다.

놀랍게도 챗GPT는 톰 냅에 대한 지식이 없었다. 냅은 1950년대 말 유명한 가치투자 자산운용사인 '트위디 브라운Tweedy, Browne'의 파트너가 되고, 1968년부터 외부 자금을 받아서 운용하기 시작한다. 그렇다면 트위디 브라운은 어떤 회사인가?

> 트위디 브라운은 1920년에 설립된 가치투자 자산운용사입니다. 이 회사는 벤저민 그레이엄과 워런 버핏의 가르침에 크게 영향을 받아 가치투자 지향의 투자 철학으로 알려져 있습니다.

트위디 브라운의 투자 철학은 재무제표가 좋고 경영진이 탄탄하며 성장성이 분명한 저평가된 기업을 매수하겠다는 것입니다. 이 회사는 지속 가능한 경쟁 우위를 의미하는 '경제적 해자'를 가지고 있고 내재가치보다 할인된 가격으로 팔리는 기업을 찾습니다.

트위디 브라운은 버크셔 해서웨이, 월트 디즈니, 코카콜라 같은 우량주의 초기 투자자일 뿐만 아니라 고객들에게 오랜 기간 높은 수익을 벌어 주었습니다. 오늘날 트위디 브라운은 200억 달러가 넘는 자산을 관리하고 있으며 세계 최고의 가치투자 운용사 중 하나로 꼽힙니다.

트위디 브라운의 투자 철학은 벤저민 그레이엄의 가르침에 크게 영향을 받았지만, 둘 사이에는 약간의 차이가 있습니다. 그레이엄이 재무제표를 바탕으로 저평가된 종목을 찾는 데 집중했다면, 최근 트위디 브라운은 유능한 경영진이 있는 우량주를 찾는 데 더 큰 비중을 두고 있습니다. 또한 트위디 브라운은 주식을 보유하는 기간이 그레이엄보다 더 긴 경향이 있습니다.

워런 버핏과도 약간의 차이가 있습니다. 트위디 브라운은 좀 더 체계적인 투자 과정을 선호하는 반면, 버핏은 자신의 본능과 직관에 좀 더 의존하는 편입니다. 또한 트위디 브라운은 포트폴리오에 많은 주식을 보유하는 반면, 버핏은 좀 더 적은 수의 기업에 투자를 집중하는 편입니다.

트위디 브라운이 가치투자에만 집중한다면, 버핏은 종종 '가치 지향 성장 투자자'로 언급된다는 점도 둘의 차이입니다. 트위디 브라운은 재무제표가 좋고 성장성이 분명한 저평가된 기업을 찾지만, 버핏은 기업의 성장 잠재력을 좀 더 강조하며 올바른 성장 스토리가 있는 기업이 있다면 다소 비싼 가격을 지불할 용의가 있습니다.

트위디 브라운의 1968~1983년과 1993~2014년 실적은 아래 표와 같다. 1993~2009년 펀드 운용은 톰 냅이 아닌 크리스토퍼 브라운 Christopher Browne이 담당했는데, 브라운도 이 기간에 연복리 10%를 벌면서 S&P500 지수보다 높은 수익을 벌었다. 톰 냅의 가치투자 철학을 이어받아서 실현했다고 봐야할 것 같다.

트위디 브라운의 1968~1983년 연간 수익률

연도	다우존스	S&P500(%)	트위디 브라운 총 수익률	트위티 브라운 주주들의 수익 (성과 보수 제외)
1968	6.0	8.8	27.6	22.0
1969	−9.5	−6.2	12.7	10.0
1970	−2.5	−6.1	−1.3	−1.9
1971	20.7	20.4	20.9	16.1
1972	11.0	15.5	14.6	11.8
1973	2.9	1.0	8.3	7.5
1974	−31.8	−38.1	1.5	1.5
1975	36.9	37.8	28.8	22.0
1976	29.6	30.1	40.2	32.8
1977	−9.9	−4.0	23.4	18.7

1978	8.3	11.9	41.0	32.1
1979	7.9	12.7	25.5	20.5
1980	13.0	21.1	21.4	17.3
1981	-3.3	-2.7	14.4	11.6
1982	12.5	10.1	10.2	8.2
1983	44.5	44.3	35.0	28.2
15 3/4년 총수익률	191.8%	238.5%	1,661.2%	936.4%
S&P500의 15 3/4년 연복리 수익률				7.0%
트위디 브라운 주주들의 15 3/4년 연복리 수익률(성과 보수 제외)				16.0%
트위디 브라운의 15 3/4년 연복리 수익률				20.0%

트위디 브라운의 1993~2015년 수익률

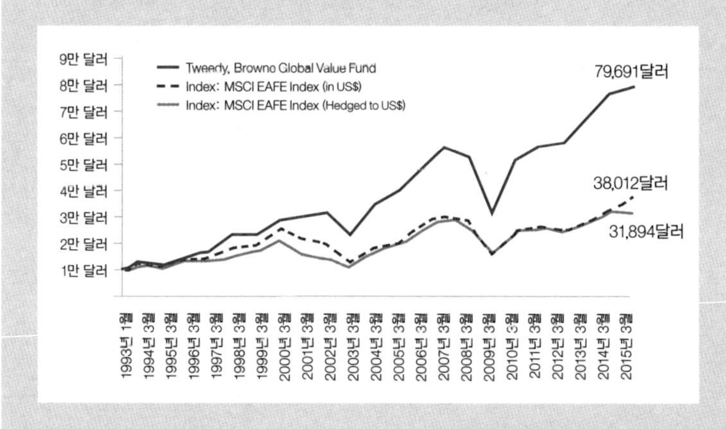

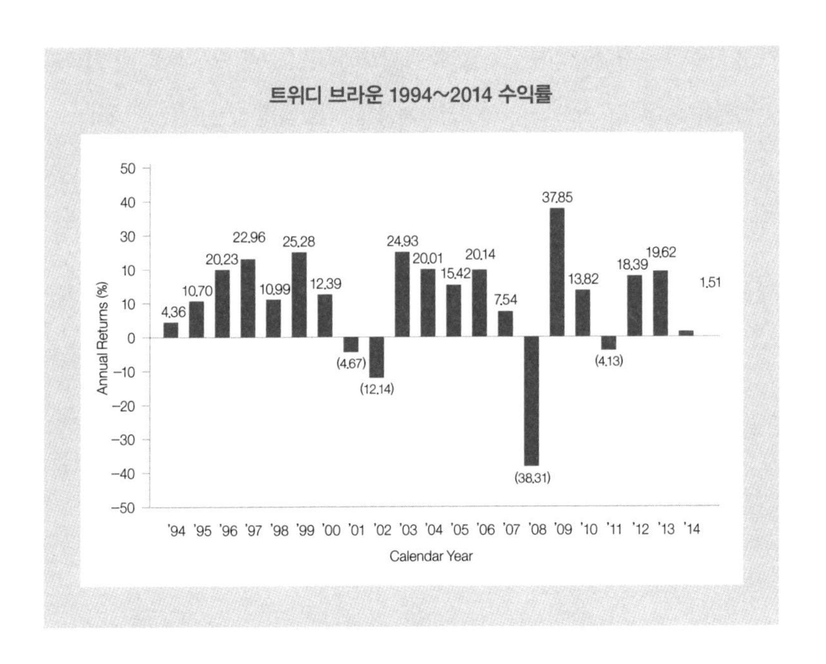

워런 버핏, 빌 루안, 월터 슐로스, 어빙 칸, 톰 냅 등 벤저민 그레이엄에게 배운 수많은 학생들이 그레이엄과 도드의 유산을 이어받아 가치투자의 원칙을 다듬고 자신의 투자 전략에 적용했습니다. 그들의 성공과 혁신은 가치투자의 전통을 유지하고 오늘날에도 사용할 수 있도록 하는 데 도움이 되었습니다.

참고로 챗GPT는 마리오 가벨리Mario Gabelli도 그레이엄의 학생이라고 주장했는데 이건 사실이 아니다. 가벨리가 컬럼비아 대학원에서 가치투자를 배운 것은 사실이나 그를 가르친 사람은 그레이엄이 아니라 로저 머리Roger Murray였다. 머리는 그레이엄이 사망한 후 발간된 《증권분석》의 제5판 저자이기도 하다. 따라서 가벨리는 그레이엄이 교육을 하던 학교에서 그레이엄의 가치투자 철학과 방법론을 배우기는 했으나 그레이엄에게 직접 가르침을 받은 것은 아니다.

제3부

워런 버핏과 가치투자의 진화

1장
워런 버핏과 버크셔 해서웨이

워런 버핏은 미국의 사업가이자 투자자입니다. 그는 역사상 가장 성공적인 투자자로 알려져 있습니다. 그는 1930년 8월 30일 네브래스카주 오마하에서 태어났고 어린 나이에 벌써 사업과 투자에 재능을 보였습니다.

버핏은 11세에 주식시장에 처음 관심을 가졌고 재무제표를 포함한 기업의 연차 보고서와 주식 관련 책을 읽기 시작했습니다. 그는 13세에 자신의 첫 번째 사업인 신문 배달 사업을 시작했고 15세가 되는 해에 처음으로 주식을 샀습니다.

워런 버핏은 네브래스카대학 학부생이었던 1950년에 벤저민 그레이엄의 《현명한 투자자》를 읽었습니다. 이 책은 버핏에게 깊은 영감을 주었고 곧 그레이엄의 가치투자 철학을 따르는 제자가 되었습니다. 1951년 버핏은 그레이엄이 교수로 있던 컬럼비아대학교 대학원 과정에 등록해 증권분석을 배웠습니다. 이렇게 버핏은 그레이엄의 투자 철학을 직접 배울 수 있었습니다.

그레이엄은 저평가된 주식을 찾기 위해 재무제표 분석을 강조하고 투자에 대한 장기적인 접근을 주장했는데 젊은 버핏은 이런 방식에 깊은 인상을 받았습니다. 버핏은 나중에 그레이엄을 자신의 "멘토"이자 "가치투자의 아버지"로 높이 평가했고 자신에게 투자의 기본 원칙을 가르쳐준 공로에 감사를 표했습니다.

버핏은 버크셔 해서웨이 주주에게 보내는 편지와 여러 인터뷰에서 그레이엄에 대한 존경심을 보이며 그를 "천재"이자 "선생님들의 선생님Teacher of Teachers"이라고 불렀습니다. 버핏은 자신의 투자 철학이 그레이엄의 영향을 크게 받았으며, 여전히 그레이엄에게 배운 원칙을 지키고 있다고 수차례 밝히기도 했습니다.

대학을 졸업한 버핏은 뉴욕으로 건너가 '그레이엄-뉴먼사'에서 애널리스트로 일했습니다. 그는 1954년부터 1956년까지 2년간 그레이엄과 같이 일했고 이후 자신의 투자 파트너십을 시작하기 위해 회사를 떠났습니다. 두 사람이 함께 일한 시간은 그리 길지 않았지만, 이때 맺은 두 사람의 관계는 버핏에게 깊은 영향을 미쳤습니다.

그레이엄에게 무엇을 배웠는지는 앞에서 자세히 설명했으므로 생략한다.

버핏은 왜 2년 만에 스승인 그레이엄을 떠났나?

이건 나의 모친께서 던진 질문이다. 사실 챗GPT 글쓰기의 흥미로운 지점은 여러 저자의 의견을 종합하기가 꽤 쉽다는 것이다! 원고를 보내주고 "추가로 궁금한 내용 있으면 물어봐!"라고 요청한 후 실제로 내가 미처 생각하지 못했던 질문이 오면 이 질문을 챗GPT에게 해서 책 내용을 더 풍성하게 만들 수 있다.

워런 버핏은 1956년 퇴사하기 전까지 그레이엄-뉴먼에서 애널리스트로 2년 근무했습니다. 그가 회사를 떠나게 된 데에는 몇 가지 요인이 있었습니다.

그레이엄-뉴먼은 주로 저평가된 주식을 매입하여 장기 보유하는 데 중점을 둔 가치투자 투자회사였습니다. 버핏은 스승인 벤저민 그레이엄의 가치 투자 철학에 깊은 영향을 받았지만, 성장 가능성이 높은 우량 기업을 합리적인 가격에 매수하는 등 자신만의 투자 아이디어를 개발하기도 했습니다. 이러한 아이디어가 항상 그레이엄-뉴먼의 투자 접근 방식과 일치하는 것은 아니었고, 버핏은 회사의 투자 철학에 제약을 느꼈을 수 있습니다.

따라서 버핏은 그레이엄-뉴먼 밖에서 본인의 투자 파트너십을 운용하자는 계획을 세웠으며 실제로 1956년에 투자 파트너십을 만들었습니다. 이 파트너십을 통해 자신만의 투자 아이디어와 전략을 추구할 수 있는 유연성을 확보할 수 있었습니다.

전반적으로 버핏이 그레이엄-뉴먼을 떠난 것은 당시 전반적인 투자 환경뿐 아니라 회사의 투자 접근 방식과 상충되는 자신만의 투자 아이디어와 전략을 추구하고자 하는 욕구가 크게 작용한 것으로 보입니다.

아니 정말 얘는 모르는 게 없어. (《스노볼》 등 버핏 전기를 읽어 보면 실제로 비슷한 내용이 나온다!)

그레이엄의 회사를 떠난 버핏은 1950년대 중반 '버핏 리미티드 파트너십Buffett Limited Partnership'이라는 투자회사를 설립했습니다. 이 회사는 버핏과 함께 돈을 투자한 7명의 유한 책임 파트너가 참여했으며, 버핏이 무한 책임 파트너로서 투자 운용을 담당했습니다. 이 회사를 통해 버핏은 그레이엄에게 배운 가치투자의 원칙을 실천에 옮겼습니다. 수년에 걸쳐 버핏의 회사는 엄청난 수익을 거두며 주가 지수의 수익을 큰 차이로 능가했습니다. 버핏 리미티드 파트너십의 주요 성과는 다음과 같습니다.

- 수익률: 1956년 시작하여 1969년 종료할 때까지 연평균 29.5%의 수익률을 기록했으며, 같은 기간 연 4%가 조금 넘는 수익률을 기록한 미국 주가 지수의 수익률을 크게 앞질렀습니다.
- 지속적인 수익: 1962년 하락장 등 어려운 경제 상황에도 불구하

고 지속적으로 높은 수익을 달성했습니다.

1956년부터 1969년까지 단 한 해도 손실을 본 적이 없었다!

- 리스크 관리: 버핏은 장기적인 투자 방식에도 불구하고 저평가된 주식에 집중하고 재무 기반이 탄탄한 기업에만 투자함으로써 손실 위험을 최소화할 수 있었습니다.

워런 버핏은 1960년대 말에서 1970년대 초에 버핏 리미티드 파트너십을 지주회사인 버크셔 해서웨이Berkshire Hathaway로 탈바꿈시켰습니다. 이러한 전환을 통해 버핏은 더욱 넓은 범위의 사업과 자산에 더 쉽게 투자할 수 있었고, 그러한 사업 운영에 대한 더 많은 통제권을 갖게 되었습니다.

버핏은 어떻게, 왜 버크셔 해서웨이라는 회사를 인수하게 되었는가?

워런 버핏은 사실 버크셔 해서웨이의 주식을 매입하고 빠른 시일 내에 매각하여 차익을 남기려는 의도였습니다. 그러나 회사 주식이 저평가되어 있다는 사실을 깨닫고 더 많은 주식을 매입하기로 결정했고 결국 회사를 인수하게 되었습니다.

뉴잉글랜드에 기반을 둔 섬유 제조업체였던 버크셔 해서웨이는 당시에 경영상 어려움을 겪고 있었습니다. 버핏은 버크셔 해서웨이의 잠재력을 보고 회사를 정상화할 수 있을 거라고 생각했습니다. 하지만 그의 노력에도 불구하고 해외 저가 제조업체와의 경쟁으로 인해 섬유 사업은 계속 어려움을 겪었습니다.

그 결과 버핏은 회사의 방향을 섬유에서 다른 산업으로 옮기고 버크셔의 기존 사업에서 창출한 현금으로 다양한 산업 분야의 다른 기업을 인수하기 시작했습니다. 이후 버크셔는 보험, 에너지, 소매업 등 다양한 산업 분야의 지분을 보유한 지주회사로 발전했습니다.

버핏이 섬유 사업에서 손을 떼기로 결정한 것은 강력한 경쟁 우위와 성장 전망을 가진 사업에 투자하는 것이 중요하다는 신념에 따른 것이었습니다. 버핏은 버크셔의 미래 성공은 당시 섬유 업계 등 구조적 어려움에 직면한 기업보다는 장기적인 성장 잠재력이 있는 기업에 투자하는 능력에 달려 있다고 생각했습니다.

1970년대

1970년과 1979년 사이에 버크셔 해서웨이의 순자산가치는 연평균 25% 성장했으며 S&P500의 수익률보다 훨씬 높았습니다.

1973년 버크셔 해서웨이는 주요 신문사인 워싱턴 포스트에 투자했고 이는 향후 막대한 수익을 가져다 주었습니다. 1974년에는 포천 500대 기업에 입성했고 미국 주요 기업 리스트에 이름을 올리면서 명성을 더욱 공고히 했습니다. 1976년에는 보험사 가이코GEICO의 지분 대부분을 인수했는데 이 회사는 가장 수익성이 높은 자회사 중

하나가 되었습니다. 이후에도 여러 보험 회사를 추가로 인수하여 업계에서 강력한 명성을 쌓았습니다.

1980년대

버크셔 해서웨이는 소매, 보험, 제조 회사를 포함한 광범위한 사업에 대한 인수합병을 지속했습니다. 버크셔의 주가는 10년 동안 꾸준히 상승했고, 순자산가치는 1980년과 1989년 사이에 연평균 21.5% 성장해서 같은 기간 S&P500의 수익률을 앞질렀습니다.

1985년 버크셔 해서웨이는 나중에 ABC 방송사를 인수한 미디어 기업 캐피털 시티에 투자했습니다. 1988년에는 코카콜라에 투자해 최대 주주가 되었고, 1989년에는 면도날로 유명한 질레트에 투자해 높은 수익률뿐만 아니라 포트폴리오를 다각화하는 데 성공했습니다.

그러나 1980년대에 투자에 실패한 몇 가지 사례도 있습니다. 1980년대 중반 버크셔 해서웨이는 석유 회사 텍사코에 대규모 투자를 했는데 이후 텍사코의 재정난과 파산으로 상당한 손실을 입었습니다. 1987년에 투자한 투자은행 살로몬 브라더스도 스캔들과 자금난으로, 1989년에 투자한 US 항공도 경영난으로 손실을 입었습니다.

1990년대

버크셔 해서웨이는 1990년대에도 전략적 인수 합병을 계속해 나갔고, 플라이트 세이프티 인터내셔널Flight Safety International, 제너럴 리Gen Re, 저스틴 인더스트리Justin Industry 등 여러 회사를 포트폴리오에 추가했습니다.

1990년대 초에는 금융 기업인 아메리칸 익스프레스에 투자해 매우 높은 수익률을 달성했고, 이는 지금까지도 버크셔 해서웨이의 가장 성공적인 투자 사례로 알려져 있습니다. 1996년에는 가이코의 잔여 지분을 인수하면서 버크셔 해서웨이는 가이코를 완전한 자회사로 두게 되었습니다. 1990년대 버크셔 해서웨이는 지속적인 주가 성장에 힘입어 세계에서 가장 크고 가치 있는 회사 중 하나가 되었습니다. 또한 주주 가치 제고에 더 집중하기 시작했고, 자사주 매수 프로그램을 시행했습니다.

한편 1990년대 후반 워런 버핏은 인터넷을 이해하지 못한다는 비난을 받기도 했습니다. 실제로 기술 기업에 거의 투자하지 않았던 버크셔 해서웨이는 닷컴 버블 기간 동안 가격이 폭등한 기술주 기업으로 돈을 벌 기회를 놓쳤습니다. 1993년 인수한 덱스터 슈Dexter Shoe도 실패 사례 중 하나입니다. 덱스터는 더 싼 수입품과 경쟁하기 위해 고군분투했으나 매출 감소와 적자를 피할 수 없었습니다.

21세기

21세기에 들어 버크셔의 몸집이 많이 커져서 S&P500 대비 초과 수익은 작아졌습니다. 하지만 동시에 버크셔가 투자하는 산업 분야는 더 다양해졌습니다.

- IBM: 버크셔는 2011년에 IBM에 투자했으며 몇 년 동안 IBM 지분의 상당량을 보유했습니다. 이 투자는 버크셔 해서웨이의 포트폴리오에서 기술 IT 회사로의 전환의 신호탄이라는 것에 의미가

있습니다.

- 애플: 버크셔 해서웨이는 2016년에 애플에 투자하기 시작했고 그 이후로 애플의 대주주가 되었습니다. 이 투자는 최근 몇 년간 버크셔 해서웨이에 많은 수익을 가져다주었습니다.
- 버크셔 해서웨이 에너지: 버크셔는 에너지 부분에 크게 투자를 했으며, 유틸리티, 재생 에너지 및 파이프라인을 포함한 다양한 에너지 회사 포트폴리오를 소유하고 운영합니다.
- 버크셔 해서웨이 오토모티브: 버크셔 해서웨이의 자회사인 버크셔 해서웨이 오토모티브는 미국 전역에 걸쳐 자동차 대리점 네트워크를 소유하고 운영하고 있습니다. 최근 몇 년간 안정적으로 성장하고 있는 사업으로서 버크셔 해서웨이의 실적에 기여하고 있습니다.

버크셔 해서웨이는 미국 밖으로 눈을 돌려 해외 투자에도 적극적으로 나섰습니다. 캐나다 보험사 선 라이프 파이낸셜Sun Life Financial의 최대 주주가 되었으며, 영국 소매업체 테스코, 독일 소프트웨어 회사 SAP, 중국 전자상거래 선도 기업 알리바바 그룹, 인도의 디지털 결제 및 금융 서비스 회사인 페이티엠Paytm 등에도 투자했습니다.

버크셔 해서웨이는 포스코 등 한국 기업에도 투자했습니다. 버핏은 여러 차례 한국 투자에 대한 자신의 생각을 공개적으로 밝히기도 했는데, 전반적으로 한국의 투자 잠재력에 대해 긍정적으로 말하면서도 투자자들이 알아야 할 몇 가지 도전과 위험을 언급했습니다.

2013년 인터뷰에서 버핏은 한국이 고학력 노동력과 증가하는 중

산층을 가지고 있다는 점을 지적하며 한국의 경제 성장과 발전에 대해 언급했습니다. 또한 투자를 위한 안정적인 정치 환경의 중요성과 한국 경제의 미래 성장 가능성에 대해서도 언급했습니다.

반면, 경쟁이 치열한 사업 환경과 독특한 문화 및 사업 관행을 분석하는 데 있어서의 어려움 등 한국 투자의 걸림돌에 대해서도 이야기했습니다. 그는 투자자들이 한국에서 투자 결정을 내릴 때 이러한 요소들을 신중하게 고려하라고 강조합니다.

버크셔 해서웨이의 주식 수익률 vs. S&P500의 수익률

연도	버크셔 주식 수익률	S&P500 수익률	버크셔 주식	S&P500
1964			1	1
1965	49.50%	9.06%	1.50	1.09
1966	−3.40%	−13.09%	1.44	0.95
1967	13.30%	20.09%	1.64	1.14
1968	77.80%	7.66%	2.91	1.23
1969	19.40%	−11.36%	3.47	1.09
1970	−4.60%	0.10%	3.31	1.09
1971	80.50%	10.79%	5.98	1.20
1972	8.10%	15.63%	6.47	1.39
1973	−2.50%	−17.37%	6.30	1.15
1974	−48.70%	−29.72%	3.23	0.81
1975	2.50%	31.55%	3.31	1.06
1976	129.30%	19.15%	7.60	1.27
1977	46.80%	−11.50%	11.16	1.12
1978	14.50%	1.06%	12.78	1.13
1979	102.50%	12.31%	25.87	1.27
1980	32.80%	25.77%	34.36	1.60

1981	31.76%	-9.73%	45.27	1.45
1982	38.39%	14.76%	62.65	1.66
1983	69.03%	17.27%	105.90	1.95
1984	-2.67%	1.40%	103.07	1.97
1985	93.73%	26.33%	199.68	2.49
1986	14.17%	14.62%	227.98	2.86
1987	4.61%	2.03%	238.48	2.92
1988	59.32%	12.40%	379.95	3.28
1989	84.57%	27.25%	701.28	4.17
1990	-23.05%	-6.56%	539.64	3.90
1991	35.58%	26.31%	731.64	4.92
1992	29.83%	4.46%	949.89	5.14
1993	38.94%	7.06%	1319.77	5.50
1994	24.96%	-1.54%	1649.19	5.42
1995	57.35%	34.11%	2595.00	7.27
1996	6.23%	20.26%	2756.66	8.74
1997	34.90%	31.01%	3718.74	11.45
1998	52.17%	26.67%	5658.81	14.50
1999	-19.86%	19.53%	4534.97	17.34
2000	26.56%	-10.14%	5739.46	15.58
2001	6.48%	-13.04%	6111.37	13.55
2002	-3.77%	-23.37%	5880.97	10.38
2003	15.81%	26.38%	6810.76	13.12
2004	4.33%	8.99%	7105.66	14.30
2005	0.82%	3.00%	7163.93	14.73
2006	24.11%	13.62%	8891.15	16.74
2007	28.74%	3.53%	11446.47	17.33
2008	-31.78%	-38.49%	7808.78	10.66
2009	2.69%	23.45%	8018.84	13.16
2010	21.42%	12.78%	9736.47	14.84

2011	−4.73%	0.00%	9275.94	14.84
2012	16.82%	13.41%	10836.15	16.83
2013	32.70%	29.60%	14379.57	21.81
2014	27.04%	11.39%	18267.81	24.29
2015	−12.48%	−0.73%	15987.99	24.12
2016	23.42%	9.54%	19732.37	26.42
2017	21.91%	19.42%	24055.73	31.55
2018	2.82%	−6.24%	24734.11	29.58
2019	10.98%	28.88%	27449.91	38.12
2020	2.42%	16.26%	28114.20	44.32
2021	29.57%	26.89%	36427.57	56.24
2022	4.00%	−19.44%	37884.67	45.30

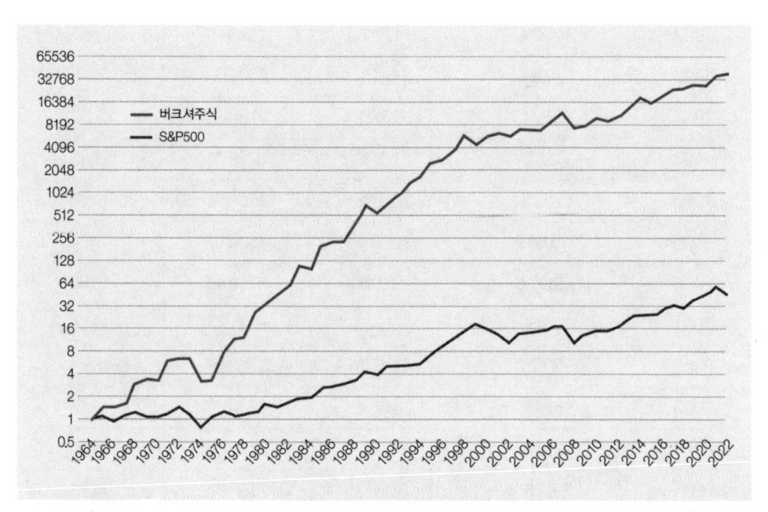

버크셔 해서웨이 주식 vs. S&P500

2장
워런 버핏의 투자 철학

워런 버핏의 투자 철학은 가치투자 원리를 따르지만 가치투자의 아버지 벤저민 그레이엄의 철학과는 차별되는 독자적인 특징을 갖고 있습니다. 버핏 철학의 특징은 다음과 같습니다.

1. 기업의 질

버핏은 브랜드 가치가 높고 꾸준한 수익과 성장이 예상되며 효율적 경영이 이루어지고 있어서 경쟁 우위가 높은 우량 기업에 투자해야 한다고 믿습니다. 그는 장기적으로 경쟁으로부터 보호해 줄 '경제적 해자', 즉 지속적인 경쟁 우위를 가진 기업을 찾고 있습니다.

브랜드 가치: 버핏은 브랜드의 지속성과 강도는 물론 시간이 지남에 따라 지속적인 수익을 창출할 수 있는 능력을 고려해 기업의 브랜드 가치를 평가합니다. 그는 강력한 브랜드가 회사에 경쟁 우위를 제공하여 경쟁사보다 더 높은 수익을 창출하고 더 빠르게 성장하는 원

동력을 제공한다고 믿습니다. 기업의 브랜드 가치를 평가하기 위해 버핏은 충성 고객, 높은 명성, 독특하고 쉽게 알아볼 수 있는 정체성을 가진 브랜드를 찾습니다. 그는 또한 브랜드의 과거 성과와 미래 성장 가능성도 고려합니다. 아울러, 우수한 경영진이 기업의 브랜드를 효과적으로 활용해 지속적인 수익을 창출할 가능성이 높다고 보고 있습니다.

꾸준한 수익: 버핏은 지속 가능한 비즈니스 모델과 충성 고객이 있고 어려운 경제 상황에서도 장기적으로 일관된 수익을 창출할 수 있는 능력을 갖춘 기업을 찾습니다. 그는 자신이 투자한 여러 기업 중에서도 특히 다음의 기업들이 지속적인 수익성을 유지할 것이라 여기고 있습니다.

- 코카콜라: 강력한 브랜드와 충성스러운 고객 기반을 가진 세계 최대의 음료 회사입니다.
- 아메리칸 익스프레스: 양질의 제품과 서비스를 제공하는 강력한 브랜드와 명성을 가진 금융 서비스 회사입니다.
- 프록터 앤드 갬블: 소비자에게 필수적인 강력한 브랜드와 많은 가정용품 포트폴리오를 가진 소비재 회사입니다.
- 존슨 앤드 존슨: 강력한 브랜드와 다양한 의료 제품 및 서비스 포트폴리오를 보유한 의료 기업입니다.

경영진의 능력: 워런 버핏은 다음과 같은 여러 요소를 고려하여 기업 경영의 효율성을 평가합니다.

- 과거 성과: 회사의 과거 재무 실적과 경영진이 올바른 사업 결정을 내렸는지 분석합니다.
- 주주 이익과의 연계: 경영진이 주주들을 위한 가치 창출에 명확한 초점을 두고 있는지, 그리고 그들의 인센티브가 주주들의 이익과 일치하는지를 평가합니다.
- 자본 배분 능력: 경영진의 효율적인 자본 배분 능력과 회사 성장을 견인할 만큼 현명한 투자 능력을 가지고 있는지 평가합니다.
- 명확한 커뮤니케이션 및 투명성: 주주와의 소통에 개방적이고 투명하며, 경영 전략과 재무 결과를 명확하게 설명할 수 있는 경영진을 중요하게 여깁니다.
- 장기적 관점: 그는 단기적인 이익보다는 회사와 주주를 위한 지속 가능한 가치 구축에 장기적인 관점을 갖고 집중하는 경영진을 중요하게 여깁니다.

경제적 해자: 워런 버핏의 정의에 따르면, 경제적 해자는 기업이 시간이 지남에 따라 일관된 이익을 창출할 수 있도록 하는 지속 가능한 경쟁적 우위입니다. 경제적 해자는 기업의 이익을 보호하고 시장 지위를 유지하는 데 도움이 되는 경쟁자에게는 진입 장벽 역할을 합니다. 버핏이 말하는 경제적 해자는 다음과 같습니다.

- 네트워크 효과: 고객, 공급업체 또는 파트너의 강력한 네트워크로부터 이익을 얻는 회사는 경쟁사가 복제하기 어려울 수 있는 경쟁 우위를 가지고 있습니다.
- 비용 우위: 낮은 생산 비용이나 규모의 경제 등 경쟁사에 비해

비용 우위가 있는 기업은 시간이 지남에 따라 이익을 보호할 수 있는 경쟁 우위가 있습니다.

- 지적 재산: 특허나 상표권 등 지식재산권 포트폴리오가 탄탄한 기업은 경쟁사의 시장 진입을 어렵게 할 수 있는 경쟁 우위를 갖고 있습니다.
- 브랜드 인지도: 강력한 브랜드와 명성을 가진 기업은 고객 유치 및 유지가 용이할 뿐만 아니라 협력업체 및 파트너와 유리한 조건을 협상할 수 있는 경쟁 우위를 가지고 있습니다.

요약하자면, 워런 버핏은 경제적 해자를 '기업이 시간이 지남에 따라 일관된 이익을 창출할 수 있는 지속 가능한 경쟁적 우위'로 정의합니다. 경제적 해자는 경쟁자들에게 진입 장벽으로 작용하여, 회사가 시장 지위를 유지하고 이익을 보호할 수 있게 돕습니다.

벤저민 그레이엄은 그보다 투자 평가에 정량적 지표를 사용하는 것을 강력히 신봉했습니다. 그는 기업의 재무제표와 PER, PBR 등 정량적 지표를 분석하면 기업 주식의 진정한 가치에 대한 중요한 인사이트를 얻을 수 있다고 믿었습니다.

그레이엄은 이러한 정량적 측정이 기업의 품질이나 경쟁 우위에 대한 주관적인 평가보다 기업의 진정한 가치를 더 신뢰할 수 있는 지표라고 믿었습니다. 그는 품질과 경쟁 우위는 객관적으로 평가하기 어렵고 시간이 지남에 따라 변할 수 있는 반면, 정량적 지표는 기업의 재무 건전성을 보다 객관적이고 일관성 있게 측정할 수 있다고 주장했습니다.

또한 그레이엄은 주식 시장이 종종 비효율적이고 단기적인 이벤트에 과민하게 반응하는 경향이 있어 기업의 기본 가치를 반영하지 않는 가격 변동을 초래한다고 생각했습니다. 그레이엄은 정량적 지표에 집중함으로써 투자자들이 시장이 간과했거나 저평가된 주식을 매수할 기회를 포착할 수 있다고 믿었습니다. 투자자가 기업 재무제표의 펀더멘털에 집중하면 품질이나 경쟁 우위와 관계없이 가격이 오를 가능성이 높은 저평가된 주식을 찾아낼 수 있다는 것이 그의 생각이었습니다.

2. 내재가치 측정법

버핏은 기업의 내재가치를 결정하기 위해 펀더멘털 분석을 사용하고 내재가치를 현재의 시장 가격과 비교합니다. 그는 이를 바탕으로 저평가된 기업을 찾습니다. 버핏과 그레이엄 둘 다 내재가치 측정의 중요성 및 내재가치보다 저평가된 기업에 투자하는 것에 동의하지만, 내재가치를 계산할 때 접근하는 방법에는 차이를 둡니다.

'오마하의 신탁'으로도 알려진 버핏은 지속적인 경쟁 우위와, 성장과 수익성에 대한 높은 실적을 가진 기업을 찾는 데 초점을 맞춥니다. 경영의 질과 그들이 올바른 결정을 내릴 수 있는 능력 또한 강조합니다. 반면 가치투자의 아버지로 꼽히는 벤저민 그레이엄은 미래 성장 잠재력과 상관없이 PER, PBR, 배당 수익률 등 재무제표에 보이는 자산과 수익성을 바탕으로 저평가된 기업을 찾는 것을 신봉했습니다.

3. 투자 보유 기간

워런 버핏과 벤저민 그레이엄은 모두 장기적인 투자 접근법을 갖고 있지만 투자 보유 기간에 대해서는 다른 견해를 가지고 있습니다. 버핏은 수년, 심지어 수십 년 동안 투자한 기업을 가능하다면 '영원히' 보유하는 것을 선호하는 것으로 알려져 있습니다. 양질의 기업을 장기 보유함으로써 수익률을 극대화하고 거래 비용과 세금을 최소화할 수 있다는 게 그의 생각입니다.

반면, 벤저민 그레이엄은 장기 보유에 크게 집착하지는 않았습니다. 그는 저평가된 주식을 사서 본질적인 가치에 도달할 때까지 보유한다고 믿었는데, 이것은 몇 달에서 몇 년이 걸릴 수 있다고 생각했습니다. 그레이엄은 일반적으로 주식이 3~5년의 기간 내에 내재가치에 도달하지 못하면 주식을 팔았습니다. 그레이엄의 가치투자 철학에 따르면, 만약 어떤 주식이 이 기간 내에 내재가치에 도달하지 못한다면 영원히 그 가치에 도달하지 못할 가능성이 높기 때문에, 그 주식을 팔고 다른 저평가된 주식에 투자하는 것이 낫습니다.

4. 경영 개입

그레이엄은 투자 결정을 내리기 위해 양적 지표에 의존하면서 투자에 대해 수동적인 접근 방식을 취했습니다. 일단 내재가치에 도달하면 매도 후 차익을 얻는다는 목표로 저평가된 종목을 찾는 데 주력했습니다. 그레이엄의 접근 방식은 투자에 대한 적극적 관리 없이도 장기적으로 투자 혜택을 누릴 수 있다는 생각으로 투자한 기업 경영에 크게 개입하지 않는다는 특징을 가지고 있습니다.

반면 워런 버핏은 강력한 경영진을 갖춘 우량 기업을 찾는 데 초점을 맞춰 투자에 보다 적극적으로 접근합니다. 그는 사업의 성공을 보장하기 위해 경영진과 긴밀히 협력하는 등 자신이 투자하는 기업의 경영에 일부 직접 관여하는 것으로 알려져 있습니다. 버핏은 그의 투자를 적극적으로 관리함으로써 그가 투자한 기업의 강점과 약점을 더 잘 이해할 수 있고, 기업이 장기적인 성장과 성공의 길을 유지하도록 도울 수 있다고 믿습니다. 그는 또한 신뢰감과 협업을 촉진하기 위해 자신이 투자하는 기업 경영진과의 관계를 발전시키려 노력합니다.

찰리 멍거가 버핏의 투자 철학에 미친 영향

버핏의 오랜 사업 파트너이자 버크셔 해서웨이의 부회장인 찰리 멍거는 버핏이 벤저민 그레이엄의 양적 투자 접근에서 벗어나는 데 큰 역할을 했습니다.

멍거는 버핏에게 '살짝 비튼 가치투자Value Investing with a twist'를 소개했습니다. 멍거는 투자 결정을 내릴 때 재무제표 외에도 기업과 경영진의 자질을 고려하는 것이 중요하다고 강조했습니다.

버핏은 처음에는 멍거의 접근 방식에 회의적이었으나 시간이 지나면서 멍거를 포용하고 멍거의 투자 철학을 자신의 투자 방식으로 채택하게 되었습니다. 멍거가 기업의 질, 경영진의 효율성, 경쟁 우위 등의 중요성을 강조한 것은 버핏이 그레이엄식의 순수한 양적 접근법에서 벗어나 자신만의 투자 철학을 형성하는 데 중요한 역할을 했습니다.

3장
버핏의 실전 투자 성공 사례

워런 버핏이 성공적으로 투자한 몇 가지 실제 사례를 소개합니다.

버핏이 자신의 투자 철학을 얼마나 일관성 있게 실전에 적용했는지 감상해 보시라!

1. 아메리칸 익스프레스

버크셔 해서웨이는 수십 년 동안 아메리칸 익스프레스American Express의 주식을 보유해 오고 있는, 이 회사의 대주주이자 장기 투자자입니다. 이 투자는 버크셔의 가장 성공적인 투자로 꼽히는 사례로 평가됩니다. 버크셔 해서웨이가 아메리칸 익스프레스에 처음 투자한 것은 1963년으로, 최대 고객인 홀리데이 인 체인Holiday Inn Chain의 손실로 회사가 위기에 처했을 때였습니다. 아메리칸 익스프레스의 주식은 매우 저렴한 가격에 거래되고 있었고, 버핏은 저평가 우량주에 투자할 수 있는 기회라고 생각했습니다.

1964년 아메리칸 익스프레스는 신용카드 사업부가 사기 문제에 휘말리면서 또 다른 위기에 직면했고, 이로 인해 주가가 더 하락했습니다. 이러한 상황에서도 버크셔 해서웨이는 아메리칸 익스프레스에 대한 투자를 계속 유지했습니다. 시간이 지나면서 아메리칸 익스프레스의 사업은 회복됐고 결국 아주 성공적인 금융 서비스 회사로 성장했습니다. 버크셔 해서웨이는 아메리칸 익스프레스의 지분을 50년 넘게 보유해 왔으며, 이 투자는 그 기간 동안 큰 수익을 가져다주었습니다.

이 사례는 저평가되어 있고 장기적인 성장 가능성이 있는 우량주 투자에 초점을 맞춘 버크셔 해서웨이의 가치투자 철학을 강조합니다. 1960년대 아메리칸 익스프레스가 직면한 도전에도 불구하고 버크셔 해서웨이는 투자를 고수했고, 회사의 장기적인 성공은 가치투자 접근법의 이점을 증명했습니다.

2022년 버크셔 해서웨이 연차보고서에서 버핏은 1995년까지 버크셔가 13억 달러 상당의 아메리칸 익스프레스 주식을 매수했으며 당시 한 해에 4,100만 달러의 배당금을 받았는데, 현재 보유 주식 가치는 220억 달러로 증가했으며 연 배당금도 3.02억 달러로 증가했다고 밝혔다.

2. 코카콜라

버크셔 해서웨이는 1980년대에 코카콜라에 처음 투자했습니다. 그 이후 코카콜라에 대한 지분을 계속 늘려 가며 음료 대기업의 대주주가 되었습니다. 버핏은 코카콜라가 강력한 브랜드를 가졌고 강하고 안정적인 사업을 운영하는 기업이라고 평가했습니다. 버핏의 코카콜라 투자는 강력한 브랜드와 예측 가능한 수익, 경쟁 우위를 가진 기업에 대한 장기 투자를 강조하는 그의 투자 철학의 한 예로 자주 인용됩니다. 그는 장기적으로 코카콜라의 주식을 보유할 계획이라고 밝히기도 했습니다.

수년간 버크셔 해서웨이의 투자는 좋은 성과를 거두었지만, 그 과정에서 약간의 어려움도 있었습니다. 예를 들어, 건강을 의식하는 소비자들의 증가는 탄산음료 소비의 감소로 이어졌고, 이것은 코카콜라의 수익에 압박을 가했습니다. 이러한 도전에도 불구하고, 버핏은 코카콜라가 앞으로도 음료 산업에서 강력한 역할을 할 것이라고 말하며 그 회사에 대한 자신감을 지속적으로 표현했습니다. 코카콜라는 지금까지도 버크셔 해서웨이가 가장 큰 규모로 지속적인 투자를 하고 있는 기업입니다.

2022년 버크셔 해서웨이 연차보고서에서 버핏은 1994년까지 버크셔가 13억 달러에 상당한 코카콜라 주식을 매수했으며, 당시 한 해에 7,500만 달러의 배당금을 받았는데, 현재 보유 주식 가치는 250억 달러로 증가했으며 연 배당금도 7.04억 달러로 증가했다고 밝혔다.

워런 버핏은 정말 매일 코카콜라를 마시는가? 도대체 왜?

이것도 모친의 질문이다.

워런 버핏은 코카콜라를 사랑하는 것으로 유명하며, 매일 코카콜라를 여러 캔 마시는 것으로 알려져 있습니다. 실제로 버핏이 인터뷰나 회의 중에 콜라를 마시는 모습을 자주 볼 수 있습니다.

버핏이 코카콜라를 좋아하는 데에는 몇 가지 이유가 있습니다. 첫째, 그는 코카콜라의 맛을 "친숙한 친구Familiar Friend"와 비교하며 콜라의 맛을 즐긴다고 밝혔습니다. 둘째, 버핏이 의장을 맡고 있는 버크셔 해서웨이가 코카콜라의 최대 주주 중 하나이기 때문에 오랫동안 코카콜라에 투자해 왔습니다. 버핏은 수년 동안 코카콜라의 경영진의 수익 창출 능력을 자주 칭찬해 왔습니다. 마지막으로, 버핏이 매일 코카콜라를 마시는 것은 그의 소박하고 현실적인 성격을 상징하는 일종의 특이한 행동이자 상징입니다. 그는 코카콜라에 대한 애정이 자신이 가진 몇 안 되는 악습이라며 농담하기도 했으며, 브랜드 인지도와 소비자 충성도가 높은 우량 기업에 투자하는 데 중점을 두는 투자 철학의 예로 자주 코카콜라를 사용합니다.

일부에서는 버핏이 매일 코카콜라를 마시는 것이 건강에 좋지 않다고 비판하기도 하지만, 그는 일반적으로 건강한 식단과 규칙적인 운동으로 균형을 맞춘다고 언급하기도 했습니다. 궁극적으로 버핏의 코카콜라 사랑은 개인적인 취향이자 일상에 녹아든 작은 쾌락일 뿐입니다.

그럼 햄버거도 많이 먹는가? 버핏의 식단을 알려줄 수 있나?

워런 버핏은 코카콜라와 햄버거를 좋아하는 등 소박하기도 하지만 편식을 하는 것으로도 유명합니다. 버핏은 패스트푸드를 좋아하지만 동시에 건강한 라이프스타일 유지의 중요성을 강조하며 수년 동안 식습관을 개선하기 위한 조치를 취해 왔습니다.

2015년 CNBC와의 인터뷰에서 버핏은 높은 콜레스테롤 수치를 해결하기 위해 식단을 변경했다고 밝혔습니다. 그는 햄버거를 줄이고 채소, 과일, 생선을 더 자주 먹기 시작했다고 언급했습니다. 또한 그는 여전히 가끔 패스트푸드를 즐기지만 전반적으로 더 건강한 식습관을 위해 의식적인 노력을 기울이고 있다고 인정했습니다.

일반적으로 버핏의 식단은 단순하고 간편한 것이 특징입니다. 그는 일반적으로 맥도날드에서 소시지 비스킷이나 베이컨, 계란, 치즈 비스킷을 주문해 아침 식사를 한다고 밝혔습니다. 점심에는 그가 즐겨 가는 오마하 스테이크 하우스에서 미디엄 레어 스테이크와 해시 브라운 사이드, 체리 콜라를 주문합니다. 또한 감자칩과 아이스크림을 간식으로 먹는 것으로도 유명합니다.

버핏은 이러한 식습관에도 불구하고 운동의 중요성을 강조하며 버크셔 해서웨이 사무실 주변을 산책하며 활동적인 생활을 유지하려고 노력하는 것으로 알려져 있습니다. 전반적으로 그의 식단이 매우 건강하지는 않지만, 건강 문제를 해결하고 건강한 라이프스타일을 유지하기 위해 기꺼이 식단을 조정하는 모습을 보여 왔습니다.

3. 월마트

워런 버핏이 1990년대에 월마트에 투자한 이유는 월마트가 효율적인 공급망, 넓은 범위, 그리고 고객들에게 낮은 가격을 제공할 수 있는 능력으로 인해 소매 산업에서 강력한 경쟁 우위를 가지고 있다고 믿었기 때문입니다. 그는 또한 월마트의 경영진이 장기적인 성장과 성공에 초점을 맞추는 등 탁월한 능력을 가졌다고 믿었습니다.

월마트에 대한 버핏의 투자는 매우 성공적이었습니다. 수년에 걸쳐, 월마트는 계속해서 성장하고 확장하여, 세계에서 가장 크고 가장 성공적인 소매업체로의 위치를 확고히 했습니다. 경제 침체에 다른 많은 소매업체는 어려움을 겪었으나, 월마트는 강력한 경쟁 우위와 효율적인 운영 덕분에 경제 침체를 극복하고 수익성을 유지할 수 있었습니다. 버크셔 해서웨이는 지금도 월마트에 투자하고 있으며, 월마트 투자는 워런 버핏의 가장 성공적인 투자에 속합니다.

4. 질레트

버핏은 다양한 소비재 기업에 투자했는데, 그중 주목할 만한 투자 중 하나는 면도기 및 그루밍 제품을 만드는 질레트에 대한 투자입니다. 버크셔 해서웨이는 1989년 질레트에 처음으로 투자했고 시간이 흐르면서 회사의 대주주가 되었습니다. 버핏은 질레트의 강력한 브랜드, 꾸준한 수익, 면도기와 그루밍 제품 분야에서의 지배적인 시장 위치에 끌렸습니다. 그는 이 회사가 투자자들에게 장기적이고 강력한 수익을 가져다줄 수 있는 경쟁 우위를 가지고 있으며 안전하고 예측 가능한 사업을 펼치고 있다고 보았습니다.

5. 무디스

버크셔 해서웨이는 2000년부터 신용 평가 회사인 무디스의 지분을 보유하고 있습니다. 워런 버핏이 대표적인 신용 평가 회사인 무디스에 투자한 것은 금융계에서 잘 알려진 이야기입니다. 당시 무디스는 신용 평가 업계에서 지배적인 위치를 차지하며 안정적이고 수익성 있는 사업을 운영했습니다. 글로벌 금융 시스템이 복잡해지면서 신용 등급에 대한 수요가 증가하고 회사 수익도 급등했습니다.

그러나 2008년 금융 위기로 무디스의 사업 모델과 명성이 도전을 받았는데, 무디스가 평가한 모기지 채권의 등급이 지나치게 낙관적이고 금융 위기에 일조했다는 비판을 받았기 때문입니다. 그럼에도 불구하고, 버크셔 해서웨이는 무디스의 지분을 계속 보유했고, 무디스는 곧 금융 위기 이전의 수익성을 회복했습니다. 지금도 무디스 투자는 버크셔 해서웨이의 수익성 있는 투자 사례로 남아 있습니다.

6. 애플

최근 몇 년간 버핏의 가장 주목할 만한 투자는 애플 투자가 아닌가 싶습니다. 버크셔 해서웨이는 2016년에 애플 주식을 사들이기 시작했고 2018년에 애플의 대주주가 되었습니다. 애플에 대한 버핏의 투자는 역사적으로 기술주를 기피했던 전설적인 투자자에게 중요한 변화로 여겨졌습니다. 버핏은 애플의 강력한 브랜드와 충성스러운 고객 기반과 꾸준한 수익에 끌렸다고 합니다.

버크셔 해서웨이의 초기 투자 이후 애플의 주가는 크게 상승했고, 애플은 세계에서 시가 총액이 가장 높은 기업이 되었습니다. 이런 성공에도 불구하고 버핏은 단일 제품(아이폰) 의존도가 높은 회사에 투자해 스마트폰 시장에서 경쟁이 심화되고 있다는 비판에 직면했습니다. 그러나 버핏은 지속적으로 혁신하고 새로운 성장의 원천을 찾는 애플의 능력을 칭찬하면서, 애플에 대해 긍정적인 의견을 표명했습니다. 그는 회사 주식을 장기적으로 보유할 계획이며, 애플이 주주들에게 강력한 수익을 계속 창출할 수 있는 좋은 위치에 있다고 생각합니다.

결론적으로, 워런 버핏의 애플 투자는 시간이 지남에 따라 자신의 투자 전략을 적응하고 진화하려는 의지를 보여 주는 대표적인 사례입니다. 몇 가지 도전과 우려에도 불구하고 그는 미래에 좋은 성과를 낼 수 있는 회사의 능력에 자신감을 갖고 있으며, 현재 애플은 버크셔 해서웨이의 가장 큰 투자처가 되었습니다.

7. 보험사

워런 버핏이 보험 산업에 많은 투자를 한 것은 보험 산업이 장기적으로 성장할 잠재력이 크고 동시에 안정적이고 수익성 있는 사업이라고 보기 때문입니다. 보험사들은 고객들로부터 보험료를 징수하고 그 돈을 다양한 자산에 투자하는 데 사용합니다. 보험료는 꾸준한 현금흐름을 제공하는 한편, 투자를 통해 추가 수익을 창출할 수 있습니다. 이러한 비즈니스 모델은 안정성과 지속적인 수익 창출 능력을 중요시하는 워런 버핏에게 매력적입니다. 워런 버핏이 보험 산업에 투자한 몇 가지 주목할 만한 예는 다음과 같습니다.

- 가이코GEICO: 버크셔 해서웨이는 수년간 자동차 보험 회사인 가이코의 대주주였습니다. 가이코는 강력한 브랜드를 보유하고 있으며, 운영이 효율적이고 수익성 있는 보험 계약을 체결할 수 있는 능력을 보유한 회사로서, 버크셔 해서웨이에게 많은 수익을 가져다주었습니다.
- 젠 리Gen Re 등 재보험사: 버크셔 해서웨이는 보험사를 위한 보험인 재보험사를 보유하고 있습니다. 이 재보험사는 버크셔 해서웨이에게 안정적인 수입을 제공할 뿐 아니라 고객으로부터 징수한 보험료를 재투자할 수 있는 기회를 제공합니다.
- 버크셔 해서웨이 프라이머리 그룹Berkshire Hathaway Primary Group: 보증 채권Surety Bonds뿐 아니라 재산 및 상해 보험을 포함한 다양한 보험 상품을 제공합니다. 이는 워런 버핏이 보험 산업에 투자한 몇 가지 예에 불과합니다. 수년간 버핏은 버크셔 해서웨이의 성장과 성공에 크게 기여한 중요한 보험 사업을 구축했습니다.

8. 금융사(보험 제외)

워런 버핏은 버크셔 해서웨이를 통해 보험업을 제외한 다른 금융사에도 많은 투자를 했습니다. 주목할 만한 투자는 다음과 같습니다.

- 뱅크오브아메리카Bank of America: 버크셔 해서웨이는 뱅크오브아메리카의 최대 주주 중 하나이며 회사에 250억 달러 이상을 투자했습니다.
- 골드만삭스Goldman Sachs: 버크셔 해서웨이는 금융 위기 때 골드만삭스에 50억 달러를 투자했고 회사 지분을 계속 보유하고 있습니다.
- 웰스파고Wells Fargo: 버크셔 해서웨이는 1990년대부터 웰스파고의 주주였으며 현재도 웰스파고의 주주로 남아 있습니다.
- 비자/마스터 카드Visa/Mastercard: 2018년 버크셔 해서웨이는 비자와 마스터카드에 상당한 투자를 했습니다.

이러한 투자는 금융 부문에 대한 워런 버핏의 자신감뿐 아니라 성장과 수익성 전망이 좋은 기업에 대한 투자 의지를 보여 줍니다. 버핏은 왜 자신이 금융 회사에 투자하는 것을 선호하는지에 대해 수차례 언급했습니다. 그가 제시한 이유 중 일부는 다음과 같습니다.

- 장기 안정성: 금융 회사는 더 안정적인 비즈니스 모델을 가지고 있으며 장기적으로 신뢰할 수 있는 수입원을 제공합니다.
- 넓은 경제적 해자: 많은 금융사들이 진입 장벽을 제공하고 수익성을 높일 수 있는 강력한 브랜드 인지도 등 경쟁 우위를 구축했습니다.
- 매력적인 밸류에이션: 금융사들은 시장 상황이나 다른 요인들로 인해 저평가되어 장기적인 성장과 수익의 기회를 제공할 수 있습

니다.

- 자본 효율성: 많은 금융 회사들은 상대적으로 적은 자본으로 상당한 자본 수익을 창출할 수 있어 매력적인 투자가 됩니다.
- 다각화: 다양한 금융 회사에 투자함으로써 포트폴리오를 다양화하고 위험을 줄일 수 있습니다.

이는 워런 버핏이 금융사 투자를 선호하는 이유 중 일부입니다. 그는 금융 기업의 안정성과 성장 잠재력에 대해 지속적으로 자신감을 나타냈고 수십 년간 다양한 금융 기업에 투자했습니다.

9. 해외 투자

버크셔 해서웨이는 21세기에 접어들면서는 해외 기업에도 투자하기 시작했습니다.

- 포스코(한국): 버크셔 해서웨이는 2006년 한국의 철강 회사 포스코(포항제철소)에 3억 달러를 투자했습니다. 이는 포스코의 장기적 잠재력에 대한 버크셔 해서웨이의 믿음의 표시이자 한국 경제에 대한 자신감을 보인 것으로 해석됩니다. 당시 포스코는 세계 4위의 철강회사였는데, 버핏의 투자는 영업을 확대하고 경쟁력을 높이는 데 일조했습니다. 하지만 세계 철강업계가 과잉 생산과 경쟁 심화로 어려움을 겪고 있어 투자에 위험이 없는 것은 아니었습니다. 이러한 어려움에도 불구하고 포스코는 계속해서 성장하고 확장해 왔고, 지금은 세계에서 가장 큰 철강 회사가 되

었습니다. 전반적으로 버크셔 해서웨이의 투자는 성공적인 것으로 평가되어 왔으며 포스코가 세계적인 기업이라는 명성을 굳히는 데 도움이 되었습니다.

- 아시아 기업 투자: 워런 버핏은 수십 년 전부터 아시아 기업에 투자해 왔습니다. 버핏은 특히 일본, 한국, 중국의 기업들에 많은 투자를 했습니다. 2000년대 초, 버핏은 무역 회사 마루베니와 기술 회사 소프트뱅크 그룹과 같은 일본 회사들에 투자하기 시작했습니다. 최근 몇 년간 그는 삼성, 포스코 등 한국 기업은 물론 중국 기술기업 텐센트, 전기차 제조업체 BYD 등에 투자했습니다. 버핏은 아시아 경제의 장기적인 성장 잠재력에 대해 지속적으로 자신감을 표명했으며, 성장과 수익성 전망이 좋은 아시아 여러 기업에 투자했습니다.

아시아 기업에 대한 투자에도 불구하고, 워런 버핏의 투자처 대부분이 여전히 미국 기업에 집중되어 있는 것이 사실입니다. 그는 지속적으로 미국 경제의 안정성과 성장 잠재력에 대한 자신감을 표명해 오고 있습니다.

버핏은 2022년 버크셔 해서웨이 연차보고서 등 수많은 자리에서 "미국을 상대로 베팅하는 것은 어리석은 짓이다"라고 말하며 미국 경제에 대한 강한 자신감을 드러냈다.

4장

버핏의 성공과 실패에서 얻을 수 있는 교훈

워런 버핏은 역사상 가장 성공적인 투자자로 간주되며, 그의 행적은 그의 투자 통찰력에 대한 충분한 증거를 제공합니다.

1. 일관된 수익: 버핏의 투자 포트폴리오는 수년간 일관된 수익을 창출하여 주가 지수를 크게 앞질렀습니다. 버크셔 해서웨이는 지난 50년간 10% 안팎이었던 S&P500의 평균 수익률을 웃도는 연평균 20% 수익률에 달했습니다.
2. 대규모 집중 투자: 버핏의 두드러진 투자 전략 중 하나는 소수의 회사에 대규모 집중 투자를 하려는 그의 의지입니다. 코카콜라와 아메리칸 익스프레스와 같은 기업에 이루어진 그의 집중 투자는 상당한 수익을 창출했습니다
3. 장기적인 관점: 버핏의 장기적인 접근은 단기적인 시장 변동을 피하는 데 도움이 되었습니다. 그는 투자한 기업의 일부를 수십 년 보유하여 복리 효과의 도움을 받았습니다.

4. 종목 선정 기술: 버핏의 종목 선정 기술은 그의 투자 성공의 열쇠였습니다. 그는 자신이 투자하는 기업에 대해 깊은 이해를 갖고 있으며 다른 사람들이 놓칠 수 있는 기회를 파악할 수 있었습니다.
5. 가치에 초점 맞추기: 버핏의 투자 접근법은 내재가치보다 할인된 가격에 거래되는 우량주를 찾는 것의 중요성을 강조합니다. 투자할 때 가치에 초점을 맞추고 고평가된 주식에 과도한 투자를 피하는 것이 중요합니다.
6. 과도한 부채 피하기: 버핏은 투자 때문에 과도한 돈을 빌리는 것을 기피했고, 대신 자기 자본과 투자자들의 자본을 사용하는 것을 선호했습니다. 부채를 피하고 탄탄한 재무제표를 유지하는 것이 중요합니다.
7. 사업에 집중하라: 버핏의 투자 성공은 그가 투자하는 회사에 대한 깊은 이해와 강력한 경쟁력을 가진 사업을 식별하는 능력에 뿌리를 두고 있습니다. 이 과정에서는 투자 결정을 내릴 때 기본 비즈니스에 집중하고 시장 소음에 휘말리지 않도록 하는 것이 중요합니다.

워런 버핏은 투자자로서 매우 성공적인 경력을 가지고 있지만, 상당한 실패를 겪은 적도 있습니다. 버핏의 실패에서 얻을 수 있는 몇 가지 주요 교훈은 다음과 같습니다.

1. 실수는 발생한다: 놀라운 성공에도 불구하고, 버핏 역시 수많은

실수를 했고 손실을 경험했습니다. 어떤 대가를 치르더라도 실수를 피하려고 하기보다는 실수가 일어날 것이라는 것을 받아들이고 실수로부터 배우는 것이 중요합니다.

2. 타이밍이 관건: 버핏이 1989년 US에어웨이즈 그룹에 투자한 것은 실수였는데, 그는 너무 일찍 투자했고 항공사 실적이 악화된 후 손실을 보았습니다. 이 사례는 기업의 라이프사이클에서 너무 일찍 또는 너무 늦게 투자하는 것을 피해야 한다는 투자 타이밍의 중요성을 알려줍니다.
3. 경고를 무시하지 말아라: 버핏이 영국에 본사를 둔 슈퍼마켓 체인 테스코에 투자한 것은 수많은 경고를 무시한 데서 비롯된 실패의 한 사례입니다. 투자하기 전에 회사를 철저히 조사하고 이해하는 것이 중요하며, 앞으로 문제가 발생할 수 있는 위험 신호를 무시하지 않아야 합니다.

버핏이 테스코 투자에서 간과했던 것은 무엇인가

2006~2007년 영국에 본사를 둔 다국적 소매업체인 테스코에 투자했을 때 워런 버핏은 궁극적으로 상당한 손실로 이어진 몇 가지 위험 신호를 간과했습니다. 버핏이 간과한 위험 신호는 다음과 같습니다.

- **경쟁 제품** 영국 식료품 시장은 경쟁이 치열했고 몇몇 대형 업체들이 장악해 테스코의 수익성에 압박을 가했습니다.
- **회계 부정** 2014년 테스코가 수억 파운드의 이익을 과대평가했다고

밝히면서 주가가 크게 하락했습니다.

- **시장 점유율 하락** 테스코는 경쟁 심화와 소비자 습관 변화로 영국 내 시장 점유율이 하락해 수익성이 하락했습니다.
- **변화하는 시장과 느린 대처** 테스코는 할인 마트의 성장과 온라인 쇼핑으로의 전환 등 변화하는 시장 상황에 대한 대응이 더뎌 수익성이 더 악화되었습니다.

이런 위험 신호에도 불구하고 버핏은 수년간 테스코에 대한 투자를 계속 유지했고, 결국 이 회사 지분의 대부분을 상당한 손실과 함께 매각했습니다. 이런 사례는 철저한 실사의 중요성과 투자 시 위험 신호를 간과하면 발생할 수 있는 잠재적 결과를 상기시킵니다.

제4부

가치투자의 주요 인물들

1장
버핏의 동세대 투자자들

찰리 멍거

버핏과 버크셔를 논하면서 찰리 멍거Charlie Munger를 빼놓을 수는 없습니다. 미국의 사업가이자 투자자인 그는 1924년 1월 1일 네브래스카 오마하에서 태어났습니다. 버핏의 6년 고향 선배라고 볼 수 있는 그는 버핏과의 오랜 파트너십을 유지하고 있고, 1978년부터는 버핏이 이끄는 투자 지주 회사 버크셔 해서웨이의 부회장으로 근무하고 있습니다.

멍거는 미시간대학교에서 수학, 공학, 법학을 공부했습니다. 제2차 세계 대전에 참전 후에는 하버드 로스쿨에 진학했습니다. 1950년대 초, 캘리포니아로 이주하여 변호사로 일하기 시작했습니다. 1960년대에 들어서는 워런 버핏과 함께 나중에 버크셔 해서웨이가 되는 투자 파트너십을 맺었습니다.

멍거는 재치와 지혜, 솔직함이 특징이라고 알려져 있습니다. 수십 년간 버핏의 조언자 역할을 하고 있는 멍거는 큰 그림에 집중하고 충동적인 결정을 피할 수 있도록 돕는 데 핵심적인 목소리를 냈습니다. 또한 윤리적인 사업 관행과 가치투자에 초점을 맞춘 것으로 유명합니다. 멍거는 버핏의 투자 철학과 의사 결정 과정에 핵심적인 영향을 끼쳤습니다. 그가 버핏에게 영향을 준 방법 중 일부는 다음과 같습니다.

- 투자 철학의 공유: 멍거는 버핏과 투자에 대한 많은 가치와 신념을 공유합니다. 그들은 함께 수년간 서로의 투자 철학을 다듬고 형성하는 데 도움을 주었습니다.
- 현명한 조언: 멍거는 그의 재치와 지혜, 솔직함으로 유명하며, 수년간 버핏의 신뢰받는 조언자였습니다. 광범위한 비즈니스 및 투자에서 결정적인 조언을 제공했습니다.
- 절제력: 멍거는 버핏이 절제력을 유지하고 시장 소음과 단기적 사고에 굴복하지 않도록 돕는 데 핵심적인 목소리를 냈습니다. 둘은 서로가 장기적으로 집중하고 충동적인 결정을 피할 수 있도록 협력했습니다.

멍거와 버핏은 윤리적인 사업 관행에 대한 헌신, 가치에 대한 집중, 그리고 투자에 대한 장기적인 관점을 공유합니다. 이러한 공유된 가치는 그들의 성공적인 파트너십의 핵심 요소였으며 버크셔 해서웨이를 세계에서 가장 성공적인 투자 회사 중 하나로 만드는 데 도움을 주었습니다.

찰리 멍거와 워런 버핏은 비슷한 투자 철학을 갖고 있지만, 그들의 접근 방식에는 약간의 차이가 있습니다.

유사점

1. 장기적인 관점: 멍거와 버핏은 모두 투자에 대한 장기적인 관점과 장기적인 주식 보유에 초점을 맞춘 것으로 알려져 있습니다.
2. 가치투자: 멍거와 버핏은 모두 강력한 펀더멘털과 장기적인 성장 잠재력을 가진 저평가된 회사들을 찾는 것을 추구하는 가치투자 철학을 따릅니다.
3. 리스크 관리: 멍거와 버핏 모두 리스크 관리에 중점을 두고 있으며, 상당한 손실을 초래할 수 있는 투자를 피하는 것으로 알려져 있습니다.

차이점

1. 포트폴리오 분산: 버핏은 포트폴리오의 대부분을 집중 투자하는 것으로 알려져 있지만, 멍거는 다양하게 포트폴리오를 분산하는 경향이 있습니다.
2. 단순함: 멍거는 단순하고 이해하기 쉬운 투자와 사업을 선호하는 것으로 알려져 있고, 버핏은 좀 더 복잡한 회사와 금융상품에 투자하는 것으로 알려져 있습니다.
3. 성격: 멍거는 재치있고 솔직한 성격인 반면, 버핏은 더 신중하고 체계적입니다.

다음은 찰리 멍거가 남긴 유명한 말들입니다.

- "우리 같은 사람들이 아주 똑똑해지려고 노력하는 대신, 일관되

게 멍청하지 않게 노력함으로써 얼마나 장기적인 이익을 얻었는지는 놀라운 일입니다."

- "우리는 난해한 것을 파악하는 것보다 명백한 것을 항상 기억함으로써 더 많은 이익을 얻으려고 노력합니다."
- "인간이 할 수 있는 최선의 일은 다른 인간이 더 많이 알 수 있도록 돕는 것입니다."
- "일어났을 때보다 조금 더 현명해지려고 노력하면서 하루하루를 보내십시오. 당신의 임무를 충실히 잘 수행하십시오. 한 걸음 한 걸음 앞서 나가지만, 반드시 빠른 속도로 전진할 필요는 없습니다. 하지만 빠른 스퍼트를 준비함으로써 훈련을 쌓을 수 있습니다. 하루하루 한 번에 1인치씩 앞으로 나가십시오."
- "비즈니스 세계에서 가장 성공한 사람들은 그들이 사랑하는 일을 하고 있는 사람들입니다."
- "성공한 사람들과 크게 성공한 사람들의 차이점은 크게 성공한 사람들이 거의 모든 제안에 'No'라고 거절한다는 것입니다."

필립 피셔

필립 피셔Philip Fisher는 1907년 캘리포니아주 샌프란시스코에서 태어난 미국의 주식투자가, 작가, 경영 컨설턴트입니다. 그는 투자 분석의 선구자 중 한 명으로 여겨지며 기업에 투자하기 전에 철저히 연구하고 실사하는 것의 중요성을 강조하는 투자 철학으로 가장 잘 알려져 있습니다.

피셔의 투자 철학은 주식의 미래 가치가 기업의 펀더멘털에 의해 결정된다는 생각에 기초합니다. 그는 강력한 경쟁 우위, 우수한 경영진, 지속적인 수익 성장을 보여 줄 수 있는 기업을 찾는 것을 중요하게 생각했습니다. 기업 연구와 실사의 중요성을 강조하는 피셔의 투자 방식은 투자 세계에 상당한 영향을 끼쳤습니다. 그의 아이디어는 워런 버핏과 찰리 멍거 등 많은 성공적인 투자자들에게 큰 영향력을 행사했습니다.

피셔가 쓴 가장 유명한 책인 《위대한 기업에 투자하라Common Stocks and Uncommon Profits》는 1958년에 출판되었고 그 이후 투자의 고전으로 자리잡았습니다. 이 책은 피셔의 투자 철학을 설명하고 그가 주식을 어떻게 분석하고 평가했는지에 대한 통찰력을 제공합니다. 피셔는 이 책에서 주식에 투자하기 전에 사업과 경영을 이해하는 것의 중요성을 강조했고, 투자자들이 장기적으로 투자에 접근할 수 있도록 격려했습니다. 피셔는 투자자가 기업의 고객, 공급자, 경쟁자와 대화를 통해 수집할 수 있는 비공식적인 정보를 가리키는 '스커틀버트Scuttlebutt' 개념을 소개했는데, 이런 정보 수집이 투자 분석의 중요한 구성 요소이며 회사의 전망과 운영에 대한 귀중한 통찰력을 제공할 수 있다고 믿었습니다.

필립 피셔의 '스커틀버트'란 무엇인가?

필립 피셔가 말하는 '스커틀버트'는 투자자들이 업계에서 일하거나 특정 기업에 대한 내부 지식이 있는 친구나 가족, 지인 등과의 일상적인 대화와 개인적인 접촉을 통해 수집하는 비공식적인 정보를 말합니다.

즉, 정보에 입각한 투자 결정을 내리기 위해 다양한 출처에서 정보를 수집하는 과정을 뜻합니다. 스커틀버트를 통해 수집된 정보는 정성적인 경우가 대부분이지만, 종종 정량적이고 공식적인 연구 방법을 보완하는 데 사용되기도 합니다. 스커틀버트를 실행에 옮길 때 아래 요소가 매우 중요합니다.

- **회사의 평판** 그곳에서 일했거나 어떤 식으로든 회사와 교류한 사람들 중에서 회사의 평판에 대한 의견을 확보.
- **경영진의 실력** 경영진의 이력, 실적 및 업계에서의 평판에 대한 정보를 수집.
- **회사 문화** 회사의 가치관, 직원들의 사기, 근무 환경을 파악하도록 노력.
- **시장 동향** 현재 시장 동향을 파악하고 그것이 회사의 미래 실적에 어떤 영향을 미칠 수 있는지에 대한 정보를 수집.
- **경쟁사 제품** 회사의 경쟁자들과 그들의 장단점에 대해 정보 수집.
- **재무 성과** 매출, 이익률, 성장 추세를 포함하여 회사의 재무 성과에 대한 정보 수집.
- **성장 전망** 회사의 향후 성장 및 확장 계획에 대한 정보 수집.

스커틀버트 정보는 비공식적이며 항상 정확하지는 않을 수 있으므로 기업에 대한 연구를 수행할 때 많은 정보 출처 중 하나로 사용되어야 한다는 것을 기억하는 것이 중요합니다.

모토로라Motorola는 필립 피셔의 대표적인 투자 성공 사례로 꼽을 수 있습니다. 피셔는 모토로라가 아직 잘 알려지지 않은 전자 회사였을 때인 1950년대에 투자했고 수십 년간 주식을 보유했습니다. 모토로라의 경영진과 연구 개발 능력에 초점을 맞췄던 피셔는 특히 회사의 경영진이 혁신에 집중하는 것에 깊은 인상을 받았으며, 이는 회사가 발전하는 성공의 열쇠라고 여겼습니다.

피셔는 수년간 모토로라 주식을 보유했고 이후 수십 년간 모토로라의 성장과 성공의 열매를 거뒀습니다. 모토로라는 전자 산업의 선두 주자가 되었고 최초의 휴대전화를 개발하는 등 중요한 기술 혁신에 성공했습니다. 모토로라 투자는 피셔가 강력한 경영진, 연구 개발에 대한 헌신, 지속적인 성장 가능성을 가진 기업에 집중하고 있음을 보여 줍니다.

아래의 15가지 투자 포인트는 《위대한 기업에 투자하라》에서 가장 중요하게 다뤄져야 할 부분인데 챗GPT는 이를 찾지 못했다.

필립 피셔가 주식투자 전 반드시 분석해야 한다고 강조한 15개 질문

1. 회사가 적어도 몇 년 동안 상당한 매출 증가를 가능하게 할 수 있는 제품이나 서비스를 보유하고 있는가?
2. 경영진은 현재 매력적인 제품군의 성장 잠재력이 꺾일 경우 매출 성장을 유지할 수 있는 신제품을 개발할 의지가 있는가?

3. 회사의 연구 개발 노력은 규모에 비해 얼마나 효과적인가?
4. 회사에 평균 이상의 영업 조직이 있는가?
5. 회사의 영업 이익 또는 순이익마진은 높은 수준인가?
6. 회사는 이익을 유지하거나 개선하기 위해 무엇을 하고 있는가?
7. 회사의 노사관계와 인사 시스템은 뛰어난가?
8. 회사의 경영진은 간부들과의 관계가 좋은가?
9. 회사의 경영에 '깊이'가 있나?
10. 회사의 비용 분석과 회계 통제는 얼마나 좋은 편인가?
11. 해당 산업에서 회사가 경쟁 기업 대비 얼마나 뛰어난지에 대한 중요한 단서를 제공하는가?
12. 회사는 이익에 관해 단기적인 전망을 가지고 있는가, 아니면 장기적인 전망을 가지고 있는가?
13. 예측 가능한 미래에 회사가 성장을 위해 유상증자를 해서 기존 주주들의 이익이 크게 침해받을 수 있을 가능성이 있는가?
14. 경영진은 일이 잘 풀릴 때는 투자자들에게 기업 경영에 대해 자유롭게 이야기하지만, 문제가 발생할 때는 정보를 숨기는가?
15. 회사는 의심할 여지없이 청렴한 경영진을 가지고 있는가?

필립 피셔는 워런 버핏과 찰리 멍거 모두에게 중요한 영향을 미쳤습니다. 버핏은 피셔의 《위대한 기업에 투자하라》에 대해 자신이 읽은 가장 중요한 투자 책 중 하나라고 말하면서, 피셔가 본인의 투자 철학에 미친 영향력에 대해 설명했습니다. 특히, 버핏은 피셔가 주식에 투자하기 전에 기업의 사업과 경영을 이해하는 데 초점을 맞춘 것에 감명을 받았습니다. 멍거 또한 피셔의 투자 철학에 영향을 받았습니다. 그는 실사의 중요성과 기업의 사업과 경영을 이해하는 가치에 대한 피셔의 생각이 본인의 투자 접근법의 중심이었다고 밝혔습니다.

존 템플턴

존 템플턴 경Sir John Templeton은 1912년에 태어나 2008년에 세상을 떠난 영국계 미국인 투자자이자 자선가입니다. 그는 20세기의 가장 위대한 투자자 중 한 명으로 널리 여겨지고 있는 글로벌 투자의 선구자 중 한 명이었습니다.

템플턴은 1940년대에 뮤추얼 펀드 매니저로 경력을 시작했습니다. 수년에 걸쳐 저평가된 회사를 찾고 다양한 글로벌 주식 포트폴리오에 투자하는 것을 강조하는 투자 철학과 접근법으로 유명해졌습니다. 그는 국제 투자의 초기 옹호자였으며, 신흥국 시장이 제시한 기회를 이용한 최초의 투자자 중 한 명이었습니다. 템플턴의 투자 실적은 매우 인상적이었습니다. 그는 고객들에게 높은 수익을 제공했고 가장 재능 있고 성공적인 투자자 중 한 명으로 명성을 쌓았습니다.

투자 활동 외에도, 템플턴은 또한 자선 활동을 통해 긍정적인 영향을 주기 위해 자신의 재산을 기부한 것으로 유명했습니다. 그는 다양한 교육 프로그램의 강력한 지지자였으며, 현재 세계에서 가장 크고 권위 있는 종교 및 영성 분야의 업적에 대한 상 중 하나인 '템플턴 상'을 제정했습니다.

존 템플턴은 전체 경력 동안 많은 성공적인 투자로 이름을 알렸지만, 그중 가장 대표적인 투자는 제2차 세계 대전이 시작되기 직전인 1939년에 주식을 구입한 것입니다. 당시 세상은 세계 경제 위기의 한 복판에 있었고, 주가는 저점에 있었습니다. 그러나 템플턴은 대폭 할인된 가격으로 미국 주식에 투자할 수 있는 기회를 보았고, 단돈 1만 달러를 들여 104개 기업의 주식을 각각 100주씩 매입하는 대담한 행보를 보였습니다.

전후 세계 경제와 주식 시장이 반등하고 템플턴이 투자한 많은 기업들이 수년간 성장하고 번영했기 때문에 이 투자는 현명한 결정으로 증명되었습니다. 실제로 템플턴의 포트폴리오는 몇 년 만에 4배 상승했는데, 이는 증시에서 저평가된 기회를 파악하는 그의 능력과 투자 감각을 입증했습니다. 이 투자는 템플턴의 가치 지향적 접근과 불확실하고 어려운 시기에 투자 기회를 찾을 수 있는 능력을 보여 주는 고전적인 사례로 알려져 있습니다.

존 템플턴은 미국뿐 아니라 전 세계에서 수많은 성공적인 투자를 한 전설적인 글로벌 투자자였습니다. 그의 가장 주목할 만한 국제 투자는 다음과 같습니다.

- 일본 주식: 템플턴은 일본 주식의 잠재력을 인식한 최초의 서구 투자자 중 한 명이었으며, 제2차 세계 대전 이후 경세 호황기 동안 일본 기업에 투자하여 상당한 이익을 얻었습니다.
- 유럽 주식: 템플턴은 독일, 프랑스, 영국과 같은 나라들의 회사들을 포함한 유럽 주식에도 투자했습니다. 그는 전후 재건과 경제 성장 기간 동안 이 회사들의 가치를 보았습니다.

- 신흥 시장: 템플턴은 신흥 시장 투자의 초기 옹호자였고, 한국, 멕시코, 브라질, 태국과 같은 나라에 투자했습니다. 그는 이 나라들이 높은 성장 잠재력을 가지고 있다고 보았고 그들의 경제가 시간이 지남에 따라 계속 성장하고 번영할 것이라고 믿었습니다.
- 글로벌 채권: 템플턴은 유럽, 아시아, 남아메리카 국가들이 발행한 채권을 포함한 글로벌 채권의 초기 투자자이기도 합니다. 그는 채권이 안정적인 수입원을 제공하고 투자 포트폴리오를 다양화하는 데 도움이 된다고 믿었습니다.

이러한 투자는 전 세계 국가에서 성장과 가치를 위한 기회를 식별하는 템플턴의 능력을 보여 줍니다. 투자에 대한 그의 국제적인 접근은 그가 상당한 이익을 얻는 데 도움을 주었습니다.

템플턴의 주요 펀드인 '템플턴 성장 펀드Templeton Growth Fund'는 연복리 16%의 수익률을 달성하며 S&P500의 수익을 앞질렀다.

템플턴 성장 펀드의 1955~1991년 연별 수익률

연도	템플턴 성장 펀드	S&P500	연도	템플턴 성장 펀드	S&P500
1955	7.04%	31.41%	1974	−12.07%	−26.47%
1956	4.64%	6.48%	1975	37.60%	37.23%
1957	−16.92%	−10.72%	1976	46.74%	23.93%
1958	48.81%	43.15%	1977	20.37%	−7.16%

1959	14.00%	11.95%	1978	19.21%	6.57%
1960	13.84%	0.45%	1979	26.84%	18.61%
1961	18.29%	26.88%	1980	25.89%	32.50%
1962	−13.52%	−8.66%	1981	−0.24%	−4.92%
1963	5.14%	22.76%	1982	10.81%	21.55%
1964	28.59%	16.43%	1983	32.91%	22.56%
1965	22.14%	12.46%	1984	2.17%	6.27%
1966	−5.30%	−10.02%	1985	27.79%	31.72%
1967	13.74%	23.89%	1986	21.24%	18.67%
1968	37.76%	11.04%	1987	3.11%	5.25%
1969	19.66%	−8.40%	1989	22.60%	31.67%
1970	−6.44%	3.94%	1989	22.56%	31.67%
1971	21.93%	14.30%	1990	−9.05%	−3.09%
1972	68.56%	19.00%	1991	31.33%	30.47%
1973	−9.92%	−14.69%			

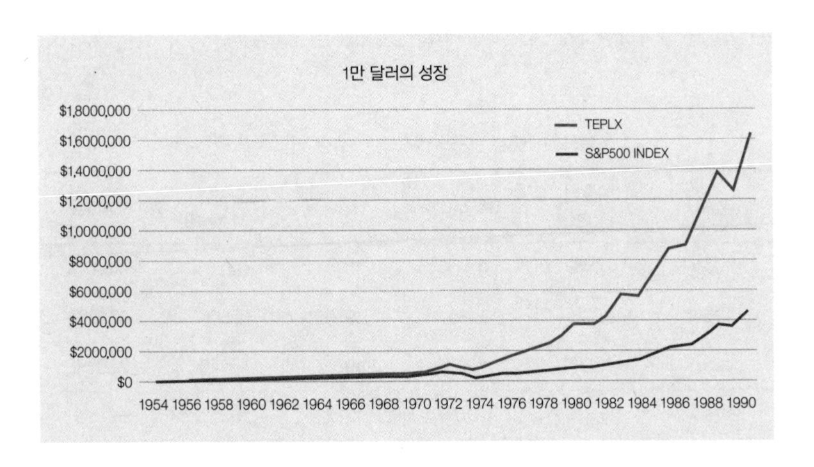

존 템플턴의 투자 스타일은 그의 멘토였던 벤저민 그레이엄과 유사했습니다. 템플턴과 그레이엄은 저평가된 주식을 찾고 다각화된 증권 포트폴리오에 투자하는 것이 유리하다고 믿는 가치투자자였습니다. 두 사람은 위험 관리와 장기적인 관점을 강조하는 투자와 보수적인 접근법을 공유했습니다.

그러나 템플턴의 투자 스타일은 그레이엄의 투자 스타일과 약간의 차이가 있었습니다. 예를 들어 템플턴은 글로벌 투자의 초기 옹호자였으며 신흥 시장이 제시하는 기회를 활용한 최초의 투자자 중 한 명인 반면, 그레이엄은 주로 미국 주식 시장에 투자하는 데 초점을 맞췄습니다.

워런 버핏은 존 템플턴이 자신의 투자 철학과 접근법에 주요한 영향을 끼쳤다고 인정했지만, 버핏과 비교했을 때 템플턴의 투자 스타일은 그레이엄의 투자 스타일과 비슷했습니다. 버핏은 템플턴과 마찬가지로 저평가된 주식을 찾는 데 주력하는 가치투자자이지만, 경쟁 우위와 성장 전망이 강한 양질의 사업을 발굴하고 투자하는 능력으로도 유명합니다.

피터 린치

피델리티 마젤란 펀드의 매니저로 잘 알려진 피터 린치는 가치투자의 변형인 '성장을 합리적인 가격에 사는GARP: Growth At a Reasonable Price' 투자의 옹호자이자 유명한 가치투자자입니다. 1944년 보스턴에서 태어난 그는 1977년부터 1990년까지 피델리티 마젤란 펀드의 포트폴리오 매니저로 활동했습니다.

린치는 시장이 간과하고 있는 강력한 성장 잠재력을 가진 기업을 찾아 투자하는 것이 주특기였습니다. 피터 린치는 경쟁 우위와 지속적인 수익 성장이 가능한 기업을 찾는 것을 중요하게 여겼습니다. 피델리티에서 근무하는 동안 피터 린치는 마젤란 펀드가 S&P500 지수를 큰 폭으로 상회하는 수익률을 기록하는 데 기여하는 등 뛰어난 성과를 거둔 것으로 유명했습니다. 일반적으로 피터 린치는 역사상 가장 성공적인 뮤추얼 펀드 매니저 중 한 명으로 여겨지며, 그의 투자 철학과 전략은 오늘날에도 계속 투자자들에 의해 연구 및 활용되고 있습니다.

피터 린치는 13년 동안 연복리 29.2%라는 경이로운 수익률을 달성하여 동 기간에 연복리 14.4%의 수익률을 달성한 S&P500을 크게 앞질렀다. 이것이 피터 린치가 '역대 최고의 뮤츄얼 펀드 매니저'라고 불리는 가장 중요한 이유다.

피터 린치의 마젤란 펀드의 연간 수익률 vs. S&P500

연도	마젤란 펀드	S&P500	초과 수익
1977	14.5%	2.6%	11.9%
1978	31.7%	15.1%	16.7%
1979	51.7%	32.4%	19.4%
1980	69.9%	40.6%	29.3%
1981	16.5%	−2.1%	18.6%
1982	48.1%	32.8%	15.3%
1983	38.6%	18.6%	20.0%

1984	2.0%	−3.9%	6.0%
1985	43.1%	28.6%	14.5%
1986	23.7%	14.1%	9.7%
1987	1.0%	1.6%	−0.6%
1988	22.8%	12.6%	10.2%
1989	34.6%	27.8%	6.8%
1990	−4.5%	−3.8%	−0.7%
Avg.	29.2%	14.4%	14.8%

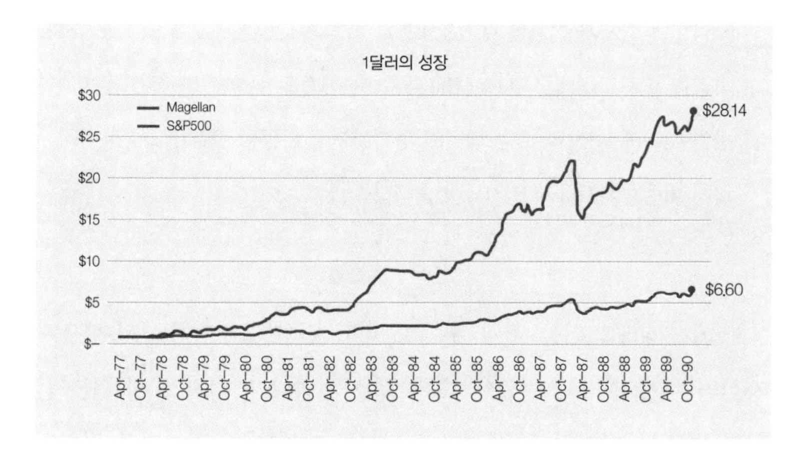

뮤츄얼 펀드란 무엇인가?

뮤추얼 펀드Mutual Fund는 여러 투자자로부터 자금을 모아 주식, 채권 또는 기타 증권 포트폴리오를 구매하는 일종의 투자 수단입니다. 이 포트폴리오는 투자자를 대신하여 투자 결정을 내리는 전문 자산 관리자가 관리하며, 펀드의 명시된 투자 목표에 부합하는 수익을 창출하는 것을 목표로 합니다.

투자자가 뮤추얼 펀드의 주식을 매입하는 것은 사실상 펀드 전체 포트폴리오의 작은 부분을 매입하는 것입니다. 투자자의 주식 가치는 펀드의 기초 자산 가치에 따라 상승 및 하락합니다.

뮤추얼 펀드는 투자자에게 다각화, 전문적 관리, 다양한 자산에 대한 쉬운 접근 등 여러 가지 이점을 제공하기 때문에 인기있는 투자 수단입니다. 또한 뮤추얼 펀드는 일반적으로 최소 투자 요건이 낮기 때문에 다양한 투자자가 접근할 수 있습니다.

다양한 투자 스타일과 자산군에 투자하는 다양한 뮤추얼 펀드가 존재하기 때문에 시장의 특정 섹터에 투자하거나 다양한 포트폴리오를 구축하려는 투자자에게 인기가 있습니다.

1990년 피델리티를 떠난 후에도 피터 린치는 투자를 계속했으며 자신의 투자 전략과 철학에 대한 글을 썼습니다. 린치가 집필한 《전설로 떠나는 월가의 영웅》《피터 린치의 이기는 투자》《피터 린치의 투자 이야기》는 독자들의 뜨거운 사랑을 받았습니다. 그중 가장 유명한 《전설로 떠나는 월가의 영웅》은 출간 즉시 투자의 고전이 되었습니다. 다른 책에서는 볼 수 없는 이 책만의 특징을 살펴보면 다음과 같습니다.

1. 일상에서 찾을 수 있는 투자 기회: 이 책은 일상 생활에서 사용하는 상품과 서비스를 통해 일반인이 좋은 투자 기회를 식별할

수 있는 방법을 강조합니다. 그는 투자자가 본인이 선호하고 이해 가능한 제품을 생산하는 회사를 찾으라고 권장했는데, 투자에 대한 개인적인 유대감을 형성하고 회사의 잠재력을 더 잘 이해할 수 있기 때문이라고 설명했습니다. 또한 린치는 새로운 트렌드에 관심을 기울이고 기존 산업을 파괴하는 새롭고 혁신적인 기업을 주시하는 것이 중요하다고 강조했습니다. 그는 최고의 투자 기회는 빠르게 성장하고, 독특한 비즈니스 모델을 가지고 있으며, 크고 성장하는 시장을 가진 기업에서 종종 발견된다고 믿었습니다.

2. 펀더멘털 분석에 집중: 린치는 주식에 투자하기 전 회사의 사업 구조와 재무제표를 철저히 조사하고 이해하는 것이 중요하다고 강조합니다.
3. 개인적인 경험을 바탕으로 한 투자 철학: 피터 린치의 투자 철학은 당대 가장 성공적인 뮤추얼 펀드인 피델리티 마젤란 펀드의 매니저로서 성공적인 실적을 바탕으로 합니다.
4. 이해하기 쉬운 언어: 이 책은 명확하고 간결한 언어로 작성되어 독자가 복잡한 투자 개념을 쉽게 이해할 수 있습니다.
5. 장기 투자에 집중: 린치는 투자자가 단기 투기보다는 장기적인 안목으로 투자에 접근할 것을 권장합니다.

GARP 투자는 무엇이며, 그레이엄의 전통적인 가치투자 방법과의 차이점은 무엇인가?

GARP투자는 수익 성장 잠재력이 높으면서도 합리적인 밸류에이션으로 거래되는 기업을 찾는 것이 중요하다는 것을 강조하는 투자 철학입니다. 벤저민 그레이엄의 투자 철학과는 몇 가지 점에서 차이가 있습니다.

- **성장에 집중한다** GARP 투자는 강력한 수익 성장 잠재력을 가진 기업을 찾는 데 중점을 두는 반면, 그레이엄의 접근 방식은 내재가치 대비 할인된 가격에 거래되는 저평가된 주식을 찾는 데 중점을 둡니다.
- **장기적 관점** GARP 투자는 강력한 성장 잠재력을 가진 기업을 찾아 장기적으로 보유하고자 하는 장기적인 접근 방식입니다. 그레이엄의 보유 기간은 더 짧은 편이며, 내재가치에 접근한 주식을 매도하기 때문에 린치보다 거래를 더 자주 하는 편입니다.
- **기업 특성 분석** GARP 투자는 기업의 성장 잠재력, 경쟁적 위치, 경영진의 자질 등 기업의 재무 및 운영에 대한 상세한 분석을 포함합니다. 그레이엄의 접근 방식은 PER나 PBR 같은 재무 지표에 더 중점을 두었습니다.

전반적으로 GARP 투자는 그레이엄의 가치투자 철학과는 많이 다르다고 볼 수 있습니다. 두 접근법 모두 합리적인 밸류에이션으로 거래되는 기업을 찾는 것이 중요하다는 점을 강조하지만, GARP 투자는 강력한 수익 성장 잠재력을 가진 기업을 찾아 장기적으로 보유하는 데 더 중점을 둡니다.

피터 린치의 GARP 투자와 버핏의 투자 철학의 유사점은 무엇인가?

- 장기적 관점 GARP 투자와 버핏의 철학은 장기적인 관점에서 투자에 접근하고 성장 잠재력이 높은 기업을 찾는 것이 중요하다는 점을 강조합니다.
- 우량 기업에 집중 두 접근 방식 모두 훌륭한 경영진, 지속적인 수익 성장, 경쟁 우위 등 탄탄한 펀더멘털을 갖춘 기업을 찾는 데 중점을 둡니다.
- 밸류에이션의 중요성을 강조 린치와 버핏 둘 다 수익 성장 잠재력에 비해 합리적인 밸류에이션으로 거래되는 기업을 찾는 것이 중요하다는 점을 강조합니다.

전반적으로 피터 린치의 GARP 투자와 버핏의 투자 철학이 완전히 동일하지는 않지만 많은 공통 요소를 가지고 있고, 둘 다 합리적인 밸류에이션으로 거래되는 강력한 성장 잠재력을 가진 기업을 찾는 것이 중요하다는 점을 강조합니다.

피터 린치는 어떻게 주식을 6개 카테고리로 구분했나?

피터 린치는 《전설로 떠나는 월가의 영웅》에서 성장 가능성과 수익성에 따라 주식을 6가지 그룹으로 분류했습니다.

- 느린성장주Slow Grower 느린 속도로 성장할 것으로 예상되는 성숙한 기업의 주식.

- 우량주Stalwarts 성장과 수익이 꾸준히 유지되는 견실한 기업의 주식.
- 고속 성장주Fast Grower 성장 잠재력은 높지만 위험도 높은 기업의 주식.
- 경기 순환주Cyclicals 경기와 연동되어 경기 확장기에는 실적이 좋고 경기 침체기에는 실적이 좋지 않은 경향이 있는 기업의 주식.
- 턴어라운드Turnaround 어려움을 겪고 있지만 회복 및 성장 잠재력이 있는 기업의 주식.
- 자산주Asset Plays : 자산은 많지만 수익이 낮은 기업 중 인수 또는 실적 개선 가능성이 있는 기업의 주식.

피터 린치는 주식을 여섯 가지 그룹으로 분류하고 각 그룹에 투자할 때 어떤 요소에 신경을 써야 하는지 설명하면서 각 그룹의 주식을 평가하고 정보에 합리적인 투자 결정을 내릴 수 있는 프레임워크를 제공했습니다.

버핏은 과거에 피터 린치의 투자 철학과 실적을 높이 평가하며 린치를 극찬한 바 있습니다. 특히 버핏은 린치가 강력한 펀더멘털을 갖춘 기업을 찾는 데 집중하고 성장주를 식별하는 능력을 높이 평가했습니다.

린치와 버핏은 직접적인 개인적 친분은 없었지만, 두 사람 모두 투자계에 큰 영향을 미쳤으며 투자에 대한 그들의 접근 방식은 오늘날에도 투자자들에게 영감과 영향을 주고 있습니다.

세스 클라만

세스 클라만Seth Klaman은 세계에서 가장 자산 규모가 크고 성공적인 헤지펀드 중 하나인 바우포스트 그룹Baupost Group의 창립자이자, 저명한 가치투자자이자 가치투자의 고전으로 알려진 《안전마진Margin of Safety》의 저자이기도 합니다.

클라만은 그레이엄과 버핏의 전통을 잇는 가치투자자입니다. 그는 보수적인 투자 접근 방식과 시장에서 가격이 잘못 책정된 자산을 찾는 데 집중하는 것으로 유명합니다. 수년 동안 클라만은 다른 헤지펀드 매니저들이 사용하는 고위험 전략을 피하면서도 고객에게 높은 투자 수익을 가져다주었습니다. 그는 투자 외 활동으로도 유명했는데, 다양한 자선 단체를 적극적으로 후원했으며 자신의 부와 영향력을 활용해 다양한 정치적 프로그램을 지원했습니다.

헤지펀드란 무엇인가?

헤지펀드Hedge Fund는 고객들의 자본을 모아 다양한 투자 전략을 사용하여 투자자에게 수익을 창출하는 대체 투자 펀드의 한 유형입니다. 광범위한 투자자가 이용할 수 있는 뮤추얼 펀드와 달리 헤지펀드는 일반적으로 규제 제한으로 인해 고액 자산가 및 기관으로 제한됩니다.

헤지펀드는 주식, 채권, 통화 및 기타 증권에 대한 롱 포지션과 숏 포지션을 포함하여 다양한 투자 전략을 사용합니다. 헤지펀드는 종종 레버리지를 사용하여 시장에 대한 노출을 늘리고 수익을 창출하기 위해 다양한 파생상품 거래 및 기타 복잡한 투자 기법을 사용할 수 있습니다.

헤지펀드는 일반적으로 경험이 많은 투자 전문가가 관리하며 뮤추얼 펀드보다 규제가 덜 적용됩니다. 헤지펀드는 펀드가 벌어들인 수익의 일정 비율을 성과 수수료로 측정하는 등 높은 수수료를 부과할 수 있습니다.

복잡한 투자 전략과 제한된 접근성으로 인해 헤지펀드는 일반적으로 고위험 고수익 투자로 간주됩니다. 헤지펀드는 높은 수준의 위험을 감내할 수 있고 전통적인 주식과 채권 이외의 대체 투자 기회를 찾고 있는 투자자에게 적합할 수 있습니다.

헤지펀드의 구체적인 투자 전략과 위험 프로필은 매우 다양할 수 있으며 모든 헤지펀드가 동일하지는 않다는 점에 유의할 필요가 있습니다. 특정 산업이나 자산군에 집중하는 헤지펀드가 있는 반면, 광범위한 전략을 사용하는 헤지펀드도 있습니다.

뮤추얼 펀드와 헤지펀드는 무엇이 다른가?

뮤추얼 펀드와 헤지펀드는 투자자의 자금을 모아 증권을 매입하는 투자 수단입니다. 하지만 둘 사이에는 몇 가지 주요 차이점이 있습니다.

- **접근성** 뮤추얼 펀드는 일반적으로 개인 투자자를 포함한 다양한 투자자가 이용할 수 있는 반면, 헤지펀드는 일반적으로 고액 자산가 또는 기관 투자자만 이용할 수 있습니다.
- **투자 전략** 뮤추얼 펀드는 일반적으로 롱 온리Long only(자산을 매수만

하며 공매도를 하지 않는 전략) 전략을 사용하며 일반적으로 벤치마크 지수의 성과를 추적하는 패시브한 성격을 가집니다. 반면 헤지펀드는 더 높은 수익을 창출하기 위해 롱/숏 포지션, 레버리지, 파생상품 등 더 광범위한 투자 전략을 사용하는 경우가 많습니다.

- **수수료** 뮤추얼 펀드는 일반적으로 헤지펀드보다 낮은 수수료를 부과합니다. 뮤추얼 펀드 수수료에는 일반적으로 펀드의 운영 비용을 충당하기 위해 투자자가 맡긴 자산의 일부를 수수료로 받는데, 자산의 일부를 수수료로 받는 것과 동시에 펀드가 벌어들인 수익의 일부를 성과 보수로 추가로 받는 경우가 대부분입니다.
- **규제** 뮤추얼 펀드는 공시, 보고 및 투자자 보호에 관한 엄격한 규정을 준수해야 하는 등 각국 금융강국의 엄격한 규제를 받습니다. 헤지펀드는 보고 요건이 적고 투자 전략에 대한 제한이 적어 규제가 덜 적용됩니다.
- **위험** 뮤추얼 펀드는 일반적으로 소극적인 투자 전략과 낮은 레버리지 사용으로 인해 헤지펀드보다 위험이 낮다고 볼 수 있습니다. 헤지펀드는 더 복잡한 투자 전략과 높은 수준의 레버리지를 사용하기 때문에 위험도가 더 높은 경우가 많습니다. 그러나 상대적으로 리스크가 적은 전략을 활용하는 헤지펀드도 있습니다.

세스 클라만의 투자 스타일은 종종 벤저민 그레이엄과 워런 버핏의 투자 스타일과 비교되기도 합니다. 클라만은 안전마진을 보유한 저평가된 주식을 장기적인 관점에서 매수하는 가치투자자입니다. 이러한 접근 방식은 가치투자의 아버지로 널리 알려져 있으며 내재가치보다 낮은 가격에 팔리는 주식을 찾는 것의 중요성을 강조한 그레이엄의 접근 방식과 유사합니다.

그러나 클라만의 투자 스타일은 워런 버핏의 투자 스타일과도 유사합니다. 버핏과 마찬가지로 클라만은 거시 경제 요인이나 시장 동향에 의존하기보다는 개별 기업의 근본적인 강점과 장기적인 성장 가능성에 초점을 맞추는 투자자입니다.

또한 클라만은 위험 관리에 대한 버핏의 견해를 일부 공유하고 있으며, 투자에 대한 절제된 접근 방식을 취하고 과장되거나 투기적인 주식을 피하는 것이 중요하다고 강조해 왔습니다. 전반적으로 클라만의 투자 스타일은 그레이엄과 버핏의 가치투자 접근 방식을 섞었다고 볼 수 있습니다.

세스 클라만이 설립한 투자 회사인 바우포스트 그룹은 투자 업계에서 오랜 기간 성공적인 실적을 쌓아 왔습니다. 수십 년 동안 고객에게 지속적으로 주식 시장보다 높은 수익을 보장하면서 세계에서 가장 인기 있는 투자 운용사 중 하나로 꼽히게 되었습니다.

바우포스트 그룹의 연별 성과는 찾지 못했는데, '25년간 연복리 수익률 16.5%'라는 내용이 프레더릭 반하버비크의 《초과 수익 바이블》에 공개되었다.

바우포스트 그룹은 가치투자에 중점을 두고 리스크 관리에 대한 체계적인 접근 방식을 통해 시장 침체를 극복하고 장기적으로 매력적인 수익을 창출한 것으로 알려져 있습니다. 또한 투명성과 청렴성으로 정평이 나 있어 수십 년 동안 고객과 투자자의 충성도를 유지할 수 있었습니다.

《안전마진》에서 확인할 수 있는 세스 클라만의 안전마진은 벤저민 그레이엄이 《현명한 투자자》에서 설명한 안전마진과 유사하지만 몇 가지 중요한 차이점을 가집니다.

클라만은 기업의 내재가치를 판단할 때 브랜드 가치와 평판 등 무형 자산의 가치를 고려하는 것이 중요하다고 강조했습니다. 또한 기업의 가치와 주가에 영향을 미치는 인플레이션과 금리 등 거시 경제적 요인의 분석에 비중을 두고 있습니다. 또한 기업의 내재가치는 시간이 지남에 따라 변할 수 있다는 점을 인식하기 때문에 클라만의 안전마진 접근법은 그레이엄보다 더 유연하다고 볼 수 있습니다. 따라서 투자자는 지속적으로 투자를 재평가하고 필요할 때 변경할 준비가 되어 있다고 강조했습니다.

전반적으로 클라만의 안전마진에 대한 접근 방식은 변화하는 비즈니스 세계의 특성과 보다 포괄적이고 유연한 분석의 필요성을 고려하여 그레이엄의 고전적인 안전마진 개념을 확장했다고 할 수 있습니다.

2장
버핏 다음 세대 투자자들

지금까지 주로 버핏과 동시대를 살아온 투자자들을 분석했는데, 가치투자는 그 후에도 계속 발전하고 있습니다. 버핏 이후 세대의 가치투자자는 누가 있는지, 그들이 어떻게 투자하는지 살펴보고자 합니다.

데이비드 아인혼

그린라이트 캐피털Greenlight Capital의 설립자인 데이비드 아인혼David Einhorn은 1968년 뉴저지에서 태어나 1991년 코넬대학교에서 행정학 학위를 취득했습니다. 아인혼은 헤지펀드 인베스터스Hedge Fund Investors의 리서치 애널리스트로 금융 분야에서 경력을 쌓은 후 사이러스 J. 로렌스Cyrus J. Lorence에서 근무했고 1996년 그린라이트 캐피탈을 설립했습니다. 그의 리더십 아래 그린라이트 캐피털은 가치 지향적인 투자 접근 방식으로 유명한 세계에서 가장 성공적인 헤지펀드가 되었습니다.

아인혼은 투자 통찰력과 저평가된 기업을 식별하는 능력으로 널리 인정받고 있습니다. 그는 수년간 세계 최고의 헤지펀드 매니저 중 하나로 알려져 왔으며, 금융계를 선도하는 인물 중 한 명으로 평가받고 있습니다. 그의 가장 주목할 만한 업적 중 하나는 2007년 서브프라임 모기지 시장이 무너질 것에 베팅한 것이며, 이를 통해 그린라이트 캐피털은 금융 위기에도 불구하고 상당한 수익을 창출하는 데 성공했습니다.

베스트셀러 작가이기도 한 아인혼은 《항상 몇몇 사람들을 속이기 Fooling Some of the People All of the Time》를 비롯하여 금융 및 투자에 관한 여러 권의 책을 저술했습니다. 이 책은 저자가 헤지펀드 매니저로서 겪은 경험과 사기 행각을 벌이고 있다고 믿었던 얼라이드 캐피탈Allied Capital과의 갈등을 다룬 책입니다. 이 책에서 아인혼은 얼라이드 캐피탈의 잘못을 밝혀내고 폭로하기 위해 노력합니다. 또한 얼라이드 캐피탈을 공매도한 후 자신이 직면했던 어려움에 대해서도 이야기합니다.

이 책은 금융 사기에 대한 이야기일 뿐만 아니라 기업 지배 구조의 상태와 기업에 대한 진실을 밝히려는 투자자들이 직면한 어려움에 대한 논평이기도 합니다. 아인혼은 금융 시스템에 문제가 많으며, 투자자들이 자신의 이익을 보호하기 위해 경계를 늦추지 말아야 한다고 주장합니다.

데이비드 아인혼의 투자 접근 방식은 워런 버핏과 비슷하지만 몇 가지 중요한 차이점도 있습니다. 버핏과 마찬가지로 아인혼은 장기적인 관점에서 저평가된 기업을 찾는 데 중점을 두는 가치투자자입니다. 그는 기업에 대한 철저한 연구와 분석, 인내심을 갖고 차분하게 투자에 접근하는 것으로 유명합니다. 하지만 두 사람의 투자 스타일에는 약간의 차이가 있습니다. 아인혼은 숏 포지션을 취하거나 고평가되었다고 생각되는 기업의 하락에 베팅하는 경향이 있는 반면, 버핏은 일반적으로 장기적으로 전망이 밝다고 판단되는 기업에만 투자하고 숏 포지션을 취하지 않습니다. 또한 아인혼은 거시경제적 요인에 더 중점을 두고 투자 전략에 파생상품 및 기타 복잡한 금융 상품을 자주 사용하는 반면, 버핏은 개별 기업의 펀더멘털 분석에 더 중점을 둡니다.

전반적으로 아인혼과 버핏은 가치 중심 투자 방식을 공유하지만, 아인혼은 과감한 포지션을 취하는 것을 두려워하지 않는 보다 적극적이고 집중적인 투자자이며, 버핏은 인내심을 갖고 장기적으로 투자할 우량 기업을 찾는 데 더 집중합니다.

그린라이트 캐피탈의 연별 성과는 찾지 못했는데, '17년간 연복리 수익률 19.4%'라는 내용이 프레더릭 반하버비크의 《초과 수익 바이블》에 공개되었다. 미국 주식 분석 전문 사이트 시킹 알파Seeking Alpha에 '1996년부터 2017년까지 연복리 15% 정도의 수익을 냈다'는 내용도 있었다.

빌 애크먼

빌 애크먼Bill Ackman은 200억 달러 이상의 자산을 관리하는 뉴욕 투자 회사인 퍼싱 스퀘어 캐피털 매니지먼트Pershing Square Capital

Management의 설립자 겸 CEO입니다. 애크먼은 공격적이고 종종 논란의 여지가 있는 투자 스타일로 유명하며, 이로 인해 찬사와 비판을 동시에 받고 있습니다. 그는 자칭 '행동주의 투자자'로서 기업의 지분을 대량으로 매입한 후 기업의 경영과 전략에 영향을 미치기 위해 노력하는 경우가 많습니다.

애크먼의 가장 주목할 만한 투자 사례로는 타깃Target과 J. C. 페니J.C Penney 등 기업의 이사회를 개편하기 위한 성공적인 캠페인과 허벌라이프Herballife와 발란트 파마슈티컬스Valeant Pharmaceuticals 등 기업을 상대로 한 대규모 공매도 베팅이 있습니다.

코로나 팬데믹 기간 동안 애크먼은 금융 및 의료 회사 등 저평가되었다고 판단한 기업에서 대규모 포지션을 취했고, 시장이 회복되면서 상당한 수익을 올렸습니다. 또한, 애크먼과 퍼싱 스퀘어는 코로나19 치료제로 가능성을 보인 렘데시비르Remdesivir를 생산하는 회사에 투자한 초기 투자자이기도 합니다.

현재 가장 영향력 있고 솔직한 가치투자자 중 한 명으로 널리 인정받고 있는 애크먼의 투자 접근 방식은 워런 버핏과 몇 가지 면에서 다릅니다.

- 행동주의: 애크먼은 유의미한 규모의 주식을 매수한 후 기업의 전략과 경영에 영향을 미치기 위해 적극적으로 노력하는 행동주의적 투자 접근법으로 유명합니다. 반면, 버핏은 일반적으로 투자하는 회사에 영향을 미치려 하지 않는 소극적 투자자입니다.
- 위험 감수성: 애크먼은 고평가되었다고 판단되는 기업에 대한 공

매도 베팅 등 과감하고 고위험 투자를 하는 것으로 유명합니다. 반면, 버핏은 훨씬 더 보수적으로 투자합니다.

- 투자 초점: 애크먼은 종종 시장의 비효율성을 이용하고 시장 트렌드를 활용하는 데 집중하는 반면, 버핏은 우량하고 저평가된 기업을 찾는 데 더 집중합니다.
- 투자 기간: 애크먼의 투자 기간은 일반적으로 버핏보다 짧으며, 많은 투자가 단기 수익 창출을 목표로 이루어집니다. 반면에 버핏은 장기적으로 높은 수익을 창출할 수 있는 기업을 찾는 데 집중합니다.

퍼싱 스퀘어의 2004~2020년 수익률은 연복리 16.9% 정도로 알려져 있다.

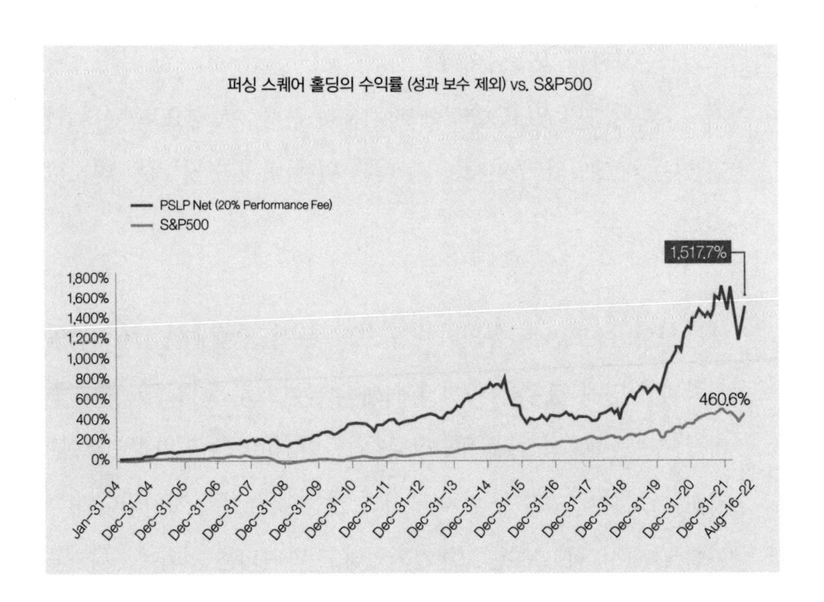

퍼싱 스퀘어, 2004~2020년 수익

연도	연도별 수익률	
	S&P500	퍼싱 스퀘어
2004	10.9%	42.6%
2005	4.9%	39.9%
2006	15.8%	22.5%
2007	5.5%	22.0%
2008	(37.0%)	(13.0%)
2009	26.5%	40.6%
2010	15.1%	29.7%
2011	2.1%	(1.1%)
2012	16.0%	13.3%
2013	32.4%	9.6%
2014	13.7%	40.4%
2015	1.4%	(20.5%)
2016	11.9%	(13.5%)
2017	21.8%	(4.0%)
2018	(4.4%)	(0.7%)
2019	31.5%	58.1%
2020	18.4%	70.2%
연복리 수익률	9.6%	16.9%

조엘 그린블라트

조엘 그린블라트Joel Greenblatt는 고담 자산 운용Gotham Capital의 설립자이며, 가치투자에 대한 간략하고 접근하기 쉬운 명저《시장을 이기는 작은 책》의 저자입니다.

강환국이 초보 투자자에게 가장 먼저 권하는 책이기도 하다.

그린블라트는 펜실베이니아대학교 와튼스쿨에서 경제학 학사 학위와 MBA를 취득했습니다. 그는 졸업 후 투자 펀드에서 일하며 가치투자자로서의 기술을 연마했습니다. 1985년 그린블라트는 고담 자산운용을 설립하여 성공적인 투자자로 빠르게 명성을 쌓았습니다. 그는 개인 투자자를 위한 간단한 퀀트 기반 가치투자 전략을 설명한 저서《시장을 이기는 작은 책》으로 가장 잘 알려져 있습니다.

이 책은 주식투자에 대한 기존의 통념에 도전하고 저평가된 주식을 찾아 높은 수익을 달성하는 방법에 대한 새로운 관점을 제시했습니다.

이 책이 인기를 끈 주요 이유는 투자 지식이 부족한 사람도 쉽게 이해할 수 있도록 내용이 간단하고 이해하기 쉽기 때문입니다. 이 책은 우량가치주를 찾아 수익을 내는 방법에 대한 단계별 가이드를 제공합니다. 또한 대화체 어조와 유머러스한 스타일로 주식 시장에 두려움이 있는 사람들도 쉽고 재미있게 읽을 수 있습니다. 투자에 대한 그린블라트의 접근 방식은 유익하고 재미있기 때문에《시장을 이기는 작은 책》은 다양한 독자들 사이에서 큰 사랑을 받았습니다.

그린블라트가 이 책에서 소개하는 '마법 공식'의 백테스트 결과를 보면 마법 공식의 수익률이 주가 지수를 큰 폭으로 상회하는 것으로 나타났습니다.

마법 공식이란 무엇인가?

'마법 공식'은 《시장을 이기는 작은 책》에서 소개한 가치투자 전략입니다. 이는 EV/EBIT와 투자 자본 수익률ROIC이라는 두 가지 주요 재무 지표를 사용하여 저평가된 기업을 식별하는 것을 목표로 하는 간단한 규칙 기반 접근 방식입니다.

마법 공식은 EV/EBIT와 ROIC의 조합을 기준으로 주식 순위를 매기며, 가장 순위가 높은 20~30여 개 주식에 투자하는 것을 원칙으로 합니다. 마법 공식의 기본 개념은 밸류에이션이 낮고(EV/EBIT가 낮은) 자본수익률이 높은(ROIC가 높은) 기업이 투자자에게 높은 수익을 창출할 가능성이 높다는 것입니다.

그린블라트의 연구에 따르면 마법 공식을 사용하여 선택한 주식 포트폴리오는 역사적으로 전체 주식 시장을 훨씬 능가하는 성과를 거두었습니다.

그린블라트는 이 책에서 마법 공식으로 투자해 1988~2004년 33%의 연복리 수익률을 벌 수 있었다고 주장했으며, 이는 동 기간의 S&P500 수익률(연복리 14%)보다 훨씬 높다. 참고로 그레이Wesley Gray와 칼라일Tobias Carlisle은 《퀀트로 가치투자하라Quantitative Value》에서 이 내용에 대해 반박하니 관심 있으면 일

독을 권한다. 한국에서도 마법 공식이 통하는지 백테스트해 봤더니 최근 20년 동안 연복리 24%라는 준수한 수익을 냈다.

마법 공식 vs. S&P500, 1988~2004년

마법 공식 수익률		
연도	마법공식	S&P500
1988	27.1%	16.6%
1989	44.6%	31.7%
1990	1.7%	-3.1%
1991	70.6%	30.5%
1992	32.4%	7.6%
1993	17.2%	10.1%
1994	22.0%	1.3%
1995	34.0%	37.6%
1996	17.3%	23.0%
1997	40.4%	33.4%
1998	25.5%	28.6%
1999	53.0%	21.0%
2000	7.9%	-9.1%
2001	69.6%	-11.9%
2002	-4.0%	-22.1%
2003	79.9%	28.7%
2004	19.3%	10.9%
Average	33%	14%

한국 마법 공식, 2003~2022년 백테스트 연간 수익률
(단, ROIC 지표 대신 ROA 지표를 활용함)

연도	수익률(%)	연도	수익률(%)
2003	33.54	2013	41.41
2004	28.05	2014	34.73
2005	126.72	2015	28.46
2006	21.78	2016	18.55
2007	69.95	2017	3.52
2008	−37.77	2018	−25.76
2009	94.64	2019	28.13
2010	20.56	2020	31.34
2011	33.14	2021	22.71
2012	44.76	2022	−33.54
총 연복리 수익률		24.39%	

그린블라트는 커리어 전반에 걸쳐 금융 분야, 특히 가치투자 분야에서 상당한 공헌을 했습니다. 그는 금융과 투자에 관한 수많은 학술 논문을 발표한, 가치투자 분야의 최고 전문가에 속합니다. 그의 지휘를 통해 고담 자산 운용은 세계에서 가장 규모가 크고 성공적인 헤지펀드 중 하나가 되었습니다. 그의 리더십 아래 고담은 전 세계 기관 및 개인 투자자를 위해 수십억 달러의 자산을 관리하는 회사로 성장했습니다.

고담의 연별 수익률은 확보하지 못했으나 프레더릭 반하버비크의 《초과 수익 바이블》에 19년 동안 연복리 수익률 45%를 달성했다는 내용이 있다. 지금까지 우리가 본 가치투자자들 중 제일 높은 수익률을 기록한 것이다!

전반적으로 조엘 그린블라트는 가치투자 분야에서 가장 영향력 있는 인물 중 한 명으로 널리 알려져 있으며, 헤지펀드 매니저이자 저술가로서 그의 업적에 대해 널리 존경받고 있습니다. 재무제표가 탄탄하고 성장 전망이 뛰어난 저평가된 기업을 찾는 데 주력하는 것으로 유명한 그린블라트는 버핏과 마찬가지로 거시 경제 동향이나 시장 움직임보다는 개별 주식의 내재가치에 초점을 맞추는 투자 방식을 사용합니다. 또한 그는 철저한 실사를 수행하고 지속 가능한 경쟁 우위를 가진 기업을 식별하는 데 중점을 둔다고 알려져 있습니다.

하지만 그린블라트의 투자 접근 방식이 버핏의 투자 방식과 동일하지는 않습니다. 예를 들어, 그린블라트는 알고리즘과 수학적 모델에 의존하여 저평가된 주식을 찾아내는 등 보다 정량적이고 체계적인 투자 방식을 취하는 것으로 유명합니다. 반면 버핏은 정성적 분석에 중점을 두고 강력한 브랜드와 경영진을 보유한 기업을 식별하는 능력으로 알려져 있습니다.

톰 루소

톰 루소Tom Russo는 가치투자 회사인 가드너 루소 앤 가드너Gardner Russo & Gardner의 파트너이며, 1984년 설립 이래 연간 약 15%의 수익률을 기록한 셈퍼 빅 파트너스 펀드Semper Vic Partners Fund의 매니저를 맡고 있습니다. 루소는 장기적인 경쟁 우위를 가진 고품질의 소비자 브랜드 기업에 집중하는 것으로 유명합니다.

루소는 세계 최고의 투자자 중 한 명으로 널리 알려져 있으며 30년 이상 펀드를 운용해 왔습니다. 그는 1955년 뉴욕 주 버팔로에서 태어났으며, 1977년 다트머스대학교에서 경제학 학사 학위를, 1984년 스탠퍼드 경영대학원에서 MBA를 취득했습니다. MBA를 마친 후 그는 장기간에 걸쳐 인상적인 수익률을 달성한 유명한 뮤추얼 펀드인 세쿼이아 펀드에 입사했고, 나중에 이 펀드의 리서치 디렉터가 되었습니다.

1989년, 루소는 '가드너 루소 앤 가드너'를 설립하여 30년 넘게 자산을 운용하고 있습니다. 그는 강력한 경쟁 우위와 지속 가능한 비즈니스 모델을 갖춘 소비자 브랜드 기업에 집중하는 가치투자자로 명성을 쌓았습니다. 그는 10년 이상 장기 투자하는 것으로 유명하며, 일부 포지션은 10년 이상 보유하기도 했습니다.

그가 운용한 펀드는 장기적으로 높은 수익률을 기록했습니다. 금융 정보 제공 업체인 모닝스타에 따르면 1984년부터 루소가 관리해 온 셈퍼 빅 파트너스 펀드는 2021년 말까지 연간 약 15%의 수익률을 기록했으며, 같은 기간 동안 S&P500 지수를 능가하는 성과를 거둔 것으로 나타났습니다. 이를 바탕으로 그는 2016년 재무관리협회Financial Management Association에서 수여하는 '우수 재무 경영자상Outstanding Financial Executive Award'을 수상했으며, 2017년에는 '가치투자 명예의 전당Value Investing Hall of Fame'에 입성했습니다.

클리프 애스니스

클리프 애스니스Cliff Asness는 종종 가치투자자로 간주되지만, 그의 투자 접근 방식에는 퀀트적인 요소도 많이 포함되어 있습니다. 클리프 애스니스는 금융 시장에 퀀트 투자 전략을 적용하는 데 주력하는 글로벌 투자 관리 회사인 AQRAQR Capital Management의 설립자로 널리 알려져 있습니다.

1995년 시카고대학교에서 재무학 박사 학위를 받은 애스니스는 골드만삭스에서 퀀트 애널리스트로 경력을 쌓기 시작했습니다. 1998년에는 AQR을 공동 설립하여 퀀트 투자 분야의 리더로 빠르게 자리매김했습니다. 애스니스는 특히 가치투자와 퀀트 투자를 융합한 연구에서 상당한 공헌을 했습니다. 그는 금융과 투자에 관한 수많은 학술 논문을 발표했으며, 퀀트 투자 분야의 최고 전문가 중 한 명으로 널리 알려져 있습니다.

그의 리더십 아래 AQR은 전 세계 기관 및 개인 투자자를 위해 1,500억 달러를 관리하는 회사로 성장했습니다. AQR는 여러 펀드를 운용하고 있는데, 모닝스타의 데이터에 따르면, AQR의 뮤추얼 펀드와 ETF 중 일부는 장기적으로 높은 수익률을 기록했습니다. 예를 들어, 2021년 12월 31일 기준 AQR 대형주 방어 스타일 펀드AUEIX의 10년 연환산 수익률은 12.83%입니다.

클리프 애스니스와 워런 버핏은 투자 접근 방식이 다릅니다. 버핏은 펀더멘털이 탄탄하고 실적이 좋은 저평가된 기업을 찾는 가치투자자입니다. 그는 경쟁 우위가 있고 시간이 지남에 따라 높은 수익을 창출할 것으로 판단되는 기업에 장기 투자하는 것으로 유명합니다.

반면 클리프 애스니스는 정량적 분석과 펀더멘털 분석을 결합하여 투자 결정을 내리는 퀀트 투자자입니다. 그는 투자 결정을 내릴 때 주로 수학적 모델과 데이터 분석을 사용합니다. 애스니스는 가치투자 외에도 모멘텀 등 다른 팩터를 고려해서 투자를 하는 것으로 알려져 있습니다. 이러한 가치투자와 퀀트 투자의 조합은 동세대에서 가장 성공적인 투자자 중 한 명으로 널리 알려진 애스니스가 가장 잘 활용했다고 알려져 있습니다. 전반적으로 애스니스는 전통적인 가치투자자의 정의에 부합하지 않을 수 있지만, 그의 투자 접근 방식은 가치투자의 요소를 통합하고 있습니다.

솔직히 애스니스는 가치투자자보다는 퀀트 투자자에 훨씬 더 가깝지만, 가치 팩터를 애용하는 투자자라 이 리스트에 포함했다.

현대 가치투자의 거장들은 가치투자의 원칙을 대중화하고 투자 세계에 새로운 아이디어를 제공함으로써 가치투자 발전에 큰 영향을 미쳤습니다. 그들이 공통적으로 주장하는, 가치투자의 역사를 관통하는 테마는 다음과 같습니다.

가치투자의 역사를 관통하는 공통 주제는 무엇인가

그레이엄과 그의 동료들과 학생들, 워런 버핏과 그의 동시대 투자자들 뿐 아니라 차세대 가치투자자들까지 분석했는데, 이들을 아우르는 큰 그림이라는 것이 있을까?

가치투자는 장기적인 수익 창출을 목표로 저평가된 주식을 매수하는 데 중점을 두는 투자 철학입니다. 가치투자의 역사를 관통하는 공통된 주제와 접근 방식은 다음과 같습니다.

- **장기적 투자** 기업의 장기적인 잠재력과 현금흐름 및 수익 창출 능력에 중점을 둡니다.
- **인내심** 인내심을 갖고 저평가된 주식을 매수할 기회를 기다립니다.
- **분석** 재무제표와 시장 동향, 기업의 펀더멘털을 철저히 분석하여 저평가된 주식을 식별합니다.
- **역발상 투자** 종종 시장 추세와 반대로 접근하여 다른 사람들이 간과한 주식을 매수합니다.
- **배당의 중요성** 가치투자자 중 일부는 고배당을 지급하는 안정적인 주식에 집중합니다.
- **우량주** 경영진, 브랜드, 경쟁력 등 기업의 비즈니스 모델과 비교우위 등에 관심이 많습니다.

- **리스크 관리** 가치투자자는 위험 관리에 중점을 두고 위험 노출을 최소화하는 동시에 수익을 극대화하고자 합니다.

구체적으로 이를 실전에서 어떻게 실행하는지 다음 챕터에서 알아보도록 하자.

제5부

가치투자 배우기

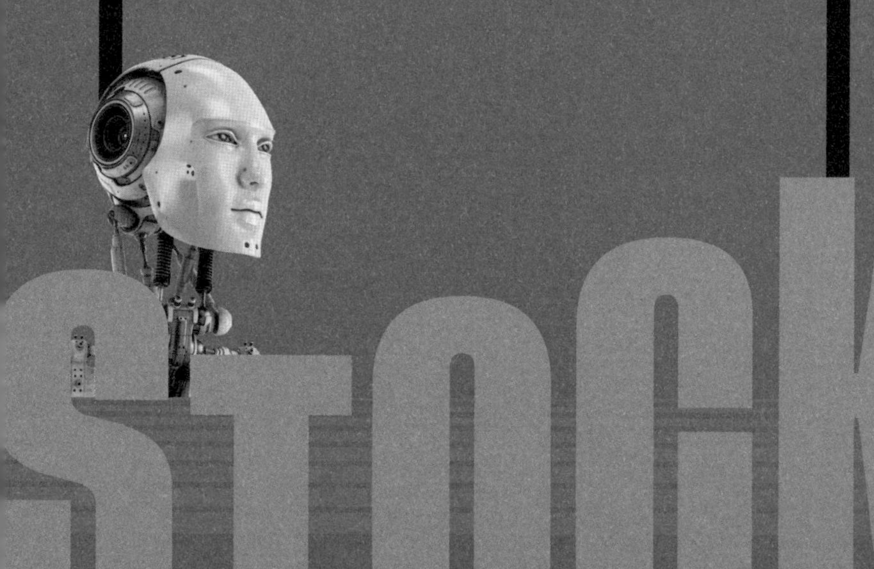

1장

가치주를 발굴하고 투자하는 과정

가치주를 발굴하고 투자하는 과정은 다음과 같습니다.

1. 주식 스크리닝: 주식 스크리너를 사용해 가치주 투자 기준에 맞는 종목을 찾습니다. PER, PBR, 배당 수익률 등의 재무 비율을 기준으로 종목을 필터링하도록 스크리너를 설정할 수 있습니다.
2. 재무 성과 분석: 스크리너를 통해 잠재 투자처를 파악했다면 해당 기업과 재무에 대한 분석을 수행합니다. 여기에는 회사의 손익계산서, 재무상태표, 현금흐름표 검토 등이 포함됩니다.
3. 정성적 기업 분석: 회사의 운영 현황을 조사하여 비즈니스 모델, 경쟁 우위, 시장 지위 등을 파악합니다. 지속 가능한 경쟁 우위를 보유한 기업을 찾는 데 집중합니다.
4. 경영진 분석: 경영진의 배경과 경험을 포함하여 경영진에 대해 조사하여 기업을 경영할 수 있는 능력이 있는지 분석합니다.
5. 밸류에이션: 현금흐름할인법DCF 분석이나 주가순이익비율PER, 순

자산비율PBR 분석과 같은 재무 지표를 사용하여 주식의 내재가치를 추정합니다. 내재가치를 현재 주가와 비교하여 주식이 저평가되어 있는지 확인합니다.

주가가 내재가치보다 현저히 낮아서 상당한 '안전마진'이 확보된 주식을 매수하는 것을 원칙으로 한다.

6. 포트폴리오 다각화: 아무리 분석을 잘 했어도 전 재산을 한 종목에 투자하여 모든 달걀을 한 바구니에 담는 것은 위험합니다. 여러 종목에 분산 투자하여 위험을 줄이는 것이 좋습니다.

따라서 1~5번의 과정을 통해 하나가 아닌 여러 기업을 찾아야 한다.

7. 투자 결정: 주식이 저평가되어 있다면 투자를 고려합니다. 가치투자는 장기적인 투자 전략이므로 몇 년 이상 투자를 유지할 준비가 되어 있어야 한다는 점을 명심해야 합니다.
8. 모니터링: 정기적으로 투자 성과를 모니터링하고 회사에 영향을 미칠 수 있는 관련 뉴스나 동향을 확인합니다.
9. 매도 또는 리밸런싱

희한하게 챗GPT가 생각하는 가치투자 과정에는 주식을 팔거나 주기적으로 포트폴리오를 리밸런싱하는 개념이 결여되어 있다. 그런데 현실적으로 대부분의 주식은 아무리 가치주이고 저평가되어 있다 하더라도 영원히 보유할 수는 없지 않는가? 따라서 내가 임의로 9번을 추가했다.

이제 가치투자의 9단계 과정을 상세히 분석해 보겠습니다.

사실 이 부분에서 많이 놀랐다. 나도 가치투자를 구체적으로 어떤 방식으로 하는지는 자세히 몰랐는데, AI가 가치투자를 어떻게 체계적으로 할 수 있는지 9단계로 나눠서 설명해 주는 것 아닌가!

2장
주식 스크리닝

우리가 투자할 수 있는 주식은 수천 개, 아니 수만 개가 있으므로 주식 스크리너를 통해 잠재 투자 대상을 좁히는 것을 추천합니다.

주식 스크리너에서 어떤 데이터를 뽑아내는 것인가?

주식 스크리너는 잠재적인 투자 기회를 파악하는 데 유용한 도구가 될 수 있습니다. 투자자가 재무 지표, 가격 및 거래량 정보 또는 기타 기준을 충족하는 종목을 검색하는 데 도움이 됩니다. 주식 스크리너를 통해 아래 정보를 검색할 수 있습니다.

- 재무 지표 여기에는 주당 순이익EPS, 주가수익비율PER, 주가순자산비율PBR, 배당 수익률, 영업 이익이나 순이익 성장률 등의 정보가 포함됩니다. 이러한 지표는 회사의 재무 건전성과 미래 성장 잠재력을 판단하는 데 도움을 줍니다.

- **가격 및 거래량 데이터** 여기에는 시가 총액, 거래량, 주가 등의 정보가 포함됩니다. 이 데이터는 회사의 규모와 유동성, 현재 시장 가치에 대한 인사이트를 제공합니다.
- **업계 정보** 여기에는 회사의 업종과 산업, 경쟁사 등의 정보가 포함됩니다. 이 정보는 해당 업계에서 회사의 위치와 성장 가능성을 이해하는 데 도움이 됩니다.
- **애널리스트 평가** 여기에는 애널리스트 등급, 목표 가격, 컨센서스 수익 추정치 등의 정보가 포함됩니다. 이 데이터는 업계 전문가의 기대치에 대한 인사이트를 제공하고 합리적인 투자 결정을 내리는 데 도움을 줍니다.

무료로 쓸 수 있는 온라인 주식 스크리너는 많이 있습니다.

- 핀비즈Finviz: 주식, 옵션, 선물, 뮤추얼 펀드, ETF를 분석하는 종합 주식 스크리너.
- 야후 파이낸스Yahoo Finance: 주식 스크리너 및 기타 투자 도구를 제공하는 금융 플랫폼.
- 구글 파이낸스Google Finance: 주식 스크리너 및 금융 뉴스를 제공.
- 스톡 로버Stock Rover: 유료 구독자를 위한 고급 기능도 제공하는 무료 주식 스크리너.
- 잭스Zacks: 유료 구독자를 위한 투자 리서치 및 분석도 제공하는 무료 주식 스크리너.

이러한 무료 주식 스크리너는 스크리닝에 사용할 수 있는 팩터 수에 제한을 두거나 유료 스크리너만큼 많은 데이터를 제공하지 않는 경우가 많습니다. 주요 유료 주식 스크리너는 다음과 같습니다.

- 모닝스타Morningstar
- 핀비즈Finviz
- 잭스 리서치Jack's Research
- 트레이드 아이디어Trade-Ideas
- 캐피탈 큐Capital Q
- S&P 글로벌 시장 정보S&P Global Market Intelligence
- 팩트세트FactSet
- E-Trade의 주식 스크리너
- TD 아메리트레이드TD Ameritrade의 싱크오어스윔Thinkorswim
- 로빈후드Robinhodd의 스크리너

미국 주식 스크리닝과 백테스트는 내가 2대 주주로 있는 퀀터스quantus.kr를 권한다(초급자 버전 무료, 중고급자 버전 유료). 단, 핀비즈에는 아직 퀀터스에서 구현할 수 없는 몇 가지 훌륭한 기능이 있다.

이 외에도 백테스팅을 위한 소프트웨어도 있습니다.

- 아미브로커Amibroker
- 트레이딩뷰Trading View
- 메타트레이더Meta Trader

- 닌자 트레이더Ninja Trader
- 퀀트셰어QuantShare
- 포트폴리오 비주얼라이저Portfolio Visualizer
- 트레이드스테이션TradeStation
- E-시그널E-Signal
- 씽크오어스윔Thinkorswim
- 백트레이더Backtrader

나는 포트폴리오 비주얼라이저를 통해 일부 정적 및 동적 자산 배분 백테스트를 한다. 현재 퀀터스에서 한국과 미국의 개별 주 퀀트 전략 백테스트가 가능하며, 현재 자산 배분 백테스트 기능을 보강 중이라 조만간 기존에 알려진 거의 모든 자산 배분 전략을 백테스트할 수 있게 될 예정이다.

3장
기업 분석

가치주를 찾을 때는 스크리너를 통한 체계적인 검색만으로는 충분하지 않습니다.

나는 퀀트 투자자이다. 따라서 나는 2장에서 설명한 '스크리닝'을 통해 기업을 검색한 후 추가 기업 분석 없이 매수한다. 가치투자자는 스크리닝을 투자의 첫 단계로 보고 스크리닝한 주식들의 비즈니스 모델, 경쟁 우위, 경영진 등을 추가 분석하는데, 퀀트 투자자인 나는 굳이 이런 노력을 할 필요가 있는지 궁금했다. 그래서 추가 질문을 했다.

가치투자자는 주식 스크리너 검색 후 꼭 철저한 분석을 수행해야 하나? 퀀트 투자자는 일반적으로 이러한 분석을 수행하지 않는다.

주식 스크리너는 기업 분석의 출발점만 제공하기 때문에 가치투자자는 주식 스크리너 검색 후 철저한 분석을 수행하는 것이 중요합니다. 가치투자자의 목표는 펀더멘털이 탄탄한 저평가된 기업을 찾는 것이며, 이를 위해서는 기업의 재무, 비즈니스 모델, 경쟁 환경에 대한 자세한 분석이 필요합니다.

반면에 퀀트 투자자는 투자 결정을 내릴 때 계량화가 가능한 데이터와 통계 분석에 더 많이 의존할 수 있습니다. 퀀트 투자자는 주식 스크리너를 사용하여 잠재적인 투자 기회를 파악한 후, 회사의 펀더멘털과 비즈니스 모델을 철저히 추가 분석할 가능성이 낮습니다. 대신 순이익이나 영업 이익의 성장률이나 PER 같은 특정 재무 지표에 집중하여 투자 결정을 내릴 가능성이 큽니다.

결론적으로 가치투자자와 퀀트 투자자 모두 주식 스크리너를 기업 분석의 출발점으로 사용하지만, 각 유형의 투자자가 주식 스크리너 사용 후 수행하는 추가 분석의 수준은 다를 수 있습니다.

꽤 만족할 만한 답변이었다! 퀀트 투자자는 스크리너 활용 후 추가 분석을 거의 안 하는 편이고, 가치투자자는 스크리너가 '출발점'일 뿐이며 그 후 기업을 '본격적으로' 분석을 한 후에야 투자 결정을 내린다는 것이다. 그런데 그 '철저한 분석'을 굳이 할 필요가 있나? 짓궂은 질문을 하나 더 추가했다.

가치투자가 실행하는 '철저한 분석'이 부가 가치를 창출하나? 퀀트 투자자는 '철저한 분석' 없이도 가치투자와 비슷하거나 더 높은 수익을 얻을 수 있다.

철저한 분석이 부가 가치를 창출하는지 여부는 관점과 투자 전략의 문제입니다. 일부 퀀트 투자자는 각 기업의 펀더멘털에 대한 철저한 분석 없이도 가치투자자들과 비슷하거나 더 높은 수익률을 달성할 수 있었던 것이 사실입니다. 이는 성공 확률이 높은 투자 기회를 식별하도록 설계된 수학적 모델과 수치 데이터를 기반으로 투자 결정을 내렸기 때문입니다.

하지만 철저한 분석이 가치투자자에게 부가 가치를 더할 수 있는 것도 사실입니다. 가치투자자는 시간을 들여 기업의 재무, 비즈니스 모델, 경쟁 환경을 이해함으로써 기업의 장기적인 성장과 수익성 잠재력에 대한 깊은 이해를 바탕으로 합리적인 투자 결정을 내릴 수 있습니다. 이를 통해 가치투자자는 저평가되어 있고 성장 가능성이 높은 기업을 식별할 수 있으며, 이는 장기적으로 더 높은 수익률로 이어질 수도 있습니다.

결론적으로 두 가지 접근 방식 모두 부가 가치를 창출할 수 있는 잠재력을 지니고 있으며, 두 접근 방식 중 하나를 선택하는 것은 궁극적으로 개인의 선호도, 투자 스타일, 투자 목표에 따라 달라집니다. 어떤 투자자는 정량적 접근법의 단순성과 수학적 엄밀성을 선호하는 반면, 어떤 투자자는 가치투자 접근법에 내재된 심층 분석과 인간적 판단을 선호할 수 있습니다.

결국, 챗GPT는 퀀트 투자를 하는지 가치투자를 하는지는 개인의 취향 차이라는 의견을 펼쳤다! 재미있는 토론이었다.

재무 검토

재무가 튼튼한 회사는 일반적으로 몇 가지 주요 특징이 있습니다.

1. 지속적인 수익 성장: 투자자들은 일반적으로 수년 동안 지속적으로 수익이 성장한 이력이 있는 기업을 재무 상태가 탄탄하다고 평가합니다.
2. 낮은 부채 수준: 자산과 수익에 비해 부채 수준이 낮은 기업은 일반적으로 재무 상태가 튼튼한 것으로 평가됩니다.
3. 긍정적인 현금흐름: 현금흐름이 긍정적인 기업은 운영에 필요한 지출을 하고, 성장에 투자하고, 주주에게 수익을 제공할 수 있습니다.
4. 다양한 수익원: 다양한 수익원을 보유한 기업은 일반적으로 경기 침체와 업계 혼란에 더 탄력적으로 대응할 수 있습니다.
5. 효율적인 운영: 간접비가 낮고 영업 마진이 높은 효율적인 기업은 일반적으로 재무가 튼튼한 것으로 여겨집니다.

이를 구체적으로 좀 더 자세히 살펴보도록 하겠습니다.

재무상태표

기업의 재무상태표를 분석할 때 투자자는 일반적으로 다음 사항에 중점을 둡니다.

1. 자산 분석

현금, 투자, 재고, 부동산 및 장비를 포함하여 회사가 통제하는 자원을 의미합니다. 회사의 자산을 분석할 때는 회사가 보유한 자산의 양과 질을 동시에 조사해야 합니다. 여기에는 부동산, 플랜트, 장비와 같은 유형 자산과 특허, 상표와 같은 무형 자산이 포함됩니다.

유형 자산을 평가할 때는 부동산이나 기타 고정 자산에 대한 투자뿐 아니라 부동산, 플랜트, 장비를 포함하여 회사가 보유한 자산의 양을 분석합니다. 자산의 사용 연수와 남은 내용 연수, 필요한 주요 수리 또는 교체 등 자산의 질적 상태도 평가해야 합니다. 가치 평가 또한 이루어져야 하는데, 감정 평가를 통해 결정하거나 시장의 유사한 자산과 비교하여 자산의 현재 시장 가치를 파악해야 합니다.

무형 자산을 평가할 때는 특허, 상표, 저작권, 기타 지적 재산을 포함하여 회사가 보유한 무형 자산의 양을 분석합니다. 법적 보호 여부와 회사에 제공하는 경쟁 우위 등 무형 자산의 질적 강점과 가치도 평가합니다. 무형 자산의 가치는 쉽게 정량화할 수 없는 경우가 많기 때문에 평가가 어려울 수 있습니다. DCF 분석이나 유사 자산 분석과 같은 방법을 사용하여 무형 자산의 가치를 추정할 수 있습니다.

전반적으로 자산의 양과 질을 평가하는 것은 회사의 재무 상태와 미래 성장 가능성을 이해하는 데 중요한 부분입니다. 이를 통해 회사

자산 기반의 강점과 이러한 자산과 관련된 잠재적 위험 및 기회를 평가하는 데 도움이 됩니다.

2. 자산 활용도

회사가 자산을 얼마나 효율적으로 사용하고 있는지 살펴보는 것도 중요합니다. 여기에는 생산 시설의 활용도와 지적 재산의 활용도가 포함됩니다. 자산 활용도를 분석하는 데 사용할 수 있는 비율에는 다음과 같은 몇 가지가 있습니다.

- 자산 회전율(매출 / 자산): 자산에서 수익을 창출하는 회사의 능력을 측정합니다. 매출액을 총 자산으로 나눈 값입니다. 자산 회전율이 높다는 것은 회사가 자산을 효과적으로 사용하여 매출을 창출하고 있음을 나타냅니다.
- 고정 자산 회전율(매출 / 고정 자산): 특히 부동산, 플랜트 및 장비와 같은 회사의 고정 자산의 효율성에 중점을 둡니다. 매출액을 총 고정 자산으로 나눈 값으로 계산합니다.
- 재고 판매 일수(매출 / 재고 자산): 기업이 재고를 판매하는 데 걸리는 일수를 측정합니다. 365일을 재고 회전율로 나눈 값으로 계산합니다. 재고 판매 일수 비율이 낮으면 회사가 재고를 효율적으로 사용하여 매출을 창출하고 있음을 나타냅니다.
- 미결제 판매 일수(365일 / 매출 채권 회전율): 회사가 고객으로부터 대금을 회수하는 데 걸리는 일수를 측정합니다. 365일을 매출 채권 회전율로 나눈 값으로 계산합니다. 미결제 매출 일수 비율

이 낮으면 회사가 미수금을 효율적으로 관리하고 있음을 나타냅니다.

- 매출 채권 회전율(매출 / 매출 채권): 회사의 자산 활용도와 수익 창출을 위한 자산 관리의 효율성에 대한 유용한 정보를 제공합니다. 그러나 이러한 비율은 회사의 전반적인 재무 성과 및 전망뿐 아니라 회사의 업계 및 동종 업계의 맥락에서 분석되어야 한다는 점을 명심해야 합니다.

3. 자산 유동성

회사 자산의 유동성, 즉 현금으로 얼마나 쉽게 전환할 수 있는지도 평가해야 합니다. 유동 자산은 부채를 상환하는 데 사용될 수 있기 때문에 중요합니다. 자산 유동성을 평가할 때는 다음 지표를 고려합니다.

- 유동 비율(유동 자산 / 유동 부채): 기업이 유동 자산을 사용하여 단기 부채를 상환할 수 있는 능력을 측정합니다. 유동 비율이 높을수록 자산을 현금으로 전환할 수 있는 능력이 높다는 의미이므로 유동성이 높다는 것을 나타냅니다.
- 당좌 비율((유동 자산 − 재고) / 유동 부채): '산성 테스트Acid Test 비율'이라고도 하는 당좌 비율은 유동 자산에서 재고를 제외하는 보다 엄격한 유동성 측정 기준입니다. 이 지표는 현금 및 시장성 유가 증권과 같은 가장 유동적인 자산을 사용하여 단기 부채를 상환할 수 있는 회사의 능력을 측정합니다. 당좌 비율은 유동 자

산에서 재고를 뺀 값을 유동 부채로 나눈 값으로 계산합니다.

- 판매 미결제 일수DSO: 기업이 판매 후 대금을 회수하는 데 걸리는 평균 일수를 측정합니다. DSO가 낮을수록 매출 채권 회수에 더 효율적이므로 유동성이 높다는 것을 의미합니다.
- 현금 전환 주기: 기업이 재고 및 미수금에 대한 투자를 현금으로 전환하는 데 걸리는 시간을 측정합니다. 현금 전환 주기가 짧을수록 회사가 자산을 현금으로 전환하는 데 더 효율적이라는 의미입니다.
- 현금성 자산: 기업의 현금 및 현금성 자산을 검토하는 것은 유동성을 평가하는 데 중요한 요소입니다. 현금 및 현금 등가물의 수준이 높을수록 회사가 단기간에 부채 상환 의무를 이행할 수 있는 능력이 더 강하다는 것을 나타냅니다.

이러한 지표를 고려하면 회사의 자산 유동성을 종합적으로 파악하고 재무 의무를 이행하기 위해 자산을 현금으로 전환할 수 있는 능력을 평가할 수 있습니다. 일반적으로 유동성이 높을수록 회사의 재무 안정성이 높다고 봅니다.

4. 자산 구성

유동 자산과 고정 자산의 비율, 유형 자산과 무형 자산의 분포, 자산의 연령과 상태 등 회사 자산의 구성을 분석해야 합니다. 아래 지표로 자산 구성을 분석해 볼 수 있습니다.

- 유동 자산과 고정 자산: 현금 및 미수금과 같은 회사의 유동 자산은 신속하게 현금으로 전환하여 단기 의무를 이행하는 데 사용합니다. 부동산, 플랜트, 장비와 같은 고정자산은 장기간에 걸쳐 재화와 서비스를 생산하는 데 사용되는 장기적 자산입니다. 유동 자산과 고정 자산의 비율을 분석하면 회사의 재무 상태와 위험 수준에 대한 인사이트를 얻을 수 있습니다.
- 유형 자산과 무형 자산: 유형 자산은 부동산, 플랜트, 장비와 같이 물리적으로 보고 만질 수 있는 자산입니다. 특허, 상표, 영업권과 같은 무형 자산은 가치가 있지만 물리적으로 볼 수는 없습니다. 유형 및 무형 자산의 분포를 분석하면 회사의 전반적인 가치와 경쟁력에 대한 인사이트를 얻을 수 있습니다.
- 자산의 연령 및 상태: 자산의 사용 연수와 상태는 회사의 매출과 수익 창출 능력에 영향을 미칠 수 있습니다. 예를 들어, 오래된 자산은 유지보수나 교체가 더 많이 필요하여 가치가 떨어질 수 있습니다. 자산의 내용 연수와 상태를 분석하면 회사의 향후 자본 지출과 성장 가능성에 대한 인사이트를 얻을 수 있습니다.
- 감가상각과 감모상각: 감가상각과 감모상각은 시간이 지남에 따라 회사 자산의 가치를 감소시키는 중요한 비용입니다. 이러한 비용을 회사의 재무 성과 및 향후 성장 전망과 관련하여 분석하면 재무 안정성에 대한 통찰력을 얻을 수 있습니다.

이러한 요소를 고려하면 회사의 자산 구성과 자산이 재무 상태 및 미래 잠재력에 미치는 영향을 종합적으로 이해할 수 있습니다. 이 정보는 회사의 위험 프로필을 평가하고 합리적인 투자 결정을 내리는 데 유용하게 활용됩니다.

5. 자산 배분

회사가 자산을 어떻게 배분하고 있는지 검토해야 합니다. 여기에는 연구 개발, 자본 지출, 운전 자본에 대한 투자도 포함됩니다. 회사의 자산 배분 분석에는 다음과 같은 단계가 포함됩니다.

- 재무제표 검토: 회사의 재무상태표, 손익계산서, 현금흐름표를 검토하면 회사가 보유한 자산의 유형과 자산의 분포에 대한 정보를 얻을 수 있습니다.
- 투자 포트폴리오 분석: 회사의 투자 포트폴리오를 검토하면 자산 배분 전략에 대한 인사이트를 얻을 수 있습니다. 여기에는 주식, 채권, 부동산 등 보유 중인 투자 유형과 투자 다각화가 포함됩니다.
- 업계 동종 기업과 비교: 회사의 자산 배분을 업계 다른 기업과 비교하면 상대적인 위험과 보상에 대한 통찰력을 얻을 수 있습니다. 예를 들어, 투자 포트폴리오에서 주식 비중이 높은 회사는 성장 잠재력이 높지만 자산 배분이 보수적인 회사에 비해 변동성이 더 클 수 있습니다.
- 재무 목표 고려: 회사의 자산 배분을 분석할 때는 재무 목표와 위험 허용 범위도 고려해야 합니다. 예를 들어 부채가 많은 회사는 채무 불이행 위험을 최소화하기 위해 자산 배분을 더 보수적

으로 하는 것이 좋습니다.

6. 감가상각

감가상각은 회사의 자산을 분석할 때 고려해야 할 중요한 요소입니다. 이러한 비용은 시간이 지남에 따라 자산의 가치를 감소시키므로 회사의 재무 성과 및 향후 성장 전망과 관련하여 고려해야 합니다. 회사의 감가상각 분석에는 다음 단계가 포함됩니다.

- 재무제표 검토: 회사의 재무상태표, 손익계산서, 현금흐름표를 검토하면 회사가 인식한 감가상각비 금액과 감가상각 중인 자산의 유형에 대한 정보를 얻을 수 있습니다.
- 감가상각 방법 분석: 회사가 사용하는 감가상각 방법을 검토하면 재무 성과와 향후 전망에 대한 통찰력을 얻을 수 있습니다. 예를 들어, 가속 감가상각 방법을 사용하는 회사는 단기적으로는 감가상각 비용이 높아지지만 장기적으로는 비용이 낮아집니다.
- 업계 다른 기업과 비교: 회사의 감가상각비를 업계 다른 기업들과 비교하면 상대적인 재무 성과와 향후 전망에 대한 통찰력을 얻을 수 있습니다.
- 감가상각 추세 평가: 시간 경과에 따른 회사의 감가상각비 추세를 평가하면 재무 성과와 향후 전망에 대한 인사이트를 얻을 수 있습니다. 여기에는 감가상각비 금액의 변화 및 감가상각 대상 자산의 유형과 같은 요소를 고려하는 것이 포함됩니다.
- 향후 자본 지출 평가: 향후 자본 지출과 관련하여 회사의 감가

상각비를 분석하면 재무 안정성과 향후 성장 전망에 대한 통찰력을 얻을 수 있습니다. 예를 들어, 감가상각비가 높은 회사는 노후화된 자산을 교체하기 위해 향후 상당한 자본 지출이 필요할 수 있습니다.

이러한 요소를 고려하면 회사의 감가상각과 재무 상태 및 미래 전망에 미치는 영향을 종합적으로 이해할 수 있습니다. 이 정보는 회사의 위험 프로필을 평가하고 합리적인 투자 결정을 내리는 데 유용할 수 있습니다.

상당히 많은 지표가 나와서 매우 혼란스러울 텐데, 아래 3개를 분석해 보면 지표를 보는 감각이 생길 것이다.

1. 동종 산업의 각 지표는 어느 정도가 평균인가?
2. 이 기업의 지표가 동종 산업에서 상위 몇 % 또는 하위 몇 % 정도인가?
3. 지표의 변화가 좋은 쪽으로 가는가, 나쁜 쪽으로 가는가?

참고로 나는 이 수많은 지표 중 자산 회전율과 자산 회전율의 성장, 유동 비율, 현금 자산 성장 정도만 보는 편이다. 기업 분석을 매우 꼼꼼히 하는 투자자는 위에 언급한 지표 중 상당 부분을 찾아볼 것이며, 좀 더 직관적으로 하는 사람은 나처럼 몇몇 지표만 분석할 것이다.

7. 부채 분석

부채는 대출금, 미지급금, 납부해야 할 세금 등 상환해야 할 의무가 있는 회사의 '빚'입니다. 부채 분석에는 회사의 부채 상환 능력을 평가하고 부채 수준과 관련된 위험을 평가하는 작업이 포함됩니다. 회사의 부채를 분석하는 단계는 다음과 같습니다.

- 부채 비율(부채 / 자본): 부채 비율은 자기 자본 대비 부채로 조달한 자금의 비율을 측정합니다. 부채 비율이 높다는 것은 레버리지가 높고 채무 불이행 위험이 높을 수 있음을 나타냅니다.
- 이자보상배율(영업 이익 / 이자 비용): 이자보상배율은 기업의 부채 상환 능력을 측정합니다. 이자보상배율이 낮으면 기업이 부채 상환에 어려움을 겪고 있으며 채무 불이행 위험이 높다는 것을 의미할 수 있습니다.
- 부채의 추세 평가: 시간 경과에 따른 회사의 부채 수준의 추세를 평가하면 재무 성과와 향후 전망에 대한 인사이트를 얻을 수 있습니다. 여기에서는 부채 액수의 변화, 즉 추세를 분석하는 것이 중요합니다.

이러한 요소를 고려하면 회사의 부채와 부채가 재무 상태 및 향후 전망에 미치는 영향을 종합적으로 이해할 수 있습니다. 이 정보는 회사의 위험 프로필을 평가하고 합리적인 투자 결정을 내리는 데 유용할 수 있습니다.

나는 주로 부채비율, 이자보상배율 정도만 정도 체크해 보는 편이다. 부채비율은 전체 부채를 자본으로 나눠서 계산하는데, 이자를 지불해야 하는 차입금만 고려해서 차입금을 자본으로 나누는 '차입금 비율'도 유심히 보는 편이다.

8. 자본 분석

자본은 회사 재무제표의 핵심 구성 요소로, 부채를 모두 공제한 후 회사 자산에 대한 잔여 지분을 나타냅니다. 회사의 자본을 분석하려면 다음과 같은 방법이 있습니다.

- 주주 자본의 구성 분석: 주주 자본은 보통 보통주, 우선주, 이익잉여금 등 여러 가지 구성 요소로 이루어져 있는데, 자본의 구성을 분석하면 회사의 재무 구조와 미래 성장 창출 능력에 대한 인사이트를 얻을 수 있습니다.
- 자본의 추세 평가: 시간이 지남에 따라 자본의 증가, 감소 추세를 살펴보고 회사가 수익을 유보하여 사업에 재투자하고 있는지, 또는 주주에게 배당금을 지급하고 있는지를 파악하는 것이 중요합니다.
- 주식 발행 또는 자사주 매입 영향을 고려: 주식 공모와 같은 회사의 최근 주식 발행과 자사주 매입 활동을 살펴보고 주주가 이용할 수 있는 총 자본에 영향을 미쳤는지 확인합니다.

버핏은 언제 배당을, 언제 수익 유보를 선호하는가?

워런 버핏은 회사에 고수익 투자 기회가 있는 한 배당금 지급보다 수익의 사업 재투자를 선호합니다. 이익잉여금이 기업의 미래 성장에 투자할 수 있는 원동력을 만든다고 믿기 때문입니다. 그러나 다음과 같은 상황에서는 기업이 배당금을 지급하는 것을 선호할 때도 있습니다.

- **투자 기회가 제한적인 경우** 투자 기회가 제한되어 있고 수익을 재투자하여 높은 수익을 창출할 수 없는 회사의 경우 버핏은 수익 유보보다 배당을 지급하는 것을 선호합니다.
- **기업이 성숙하고 수익이 안정적일 경우** 성숙한 기업은 안정적인 수익을 창출하지만 큰 성장을 기대할 수는 없으므로 버핏은 이런 기업의 경우 주주에게 배당금을 지급하는 것을 선호합니다.
- **기업 침체기** 기업이 사업 침체에 직면한 경우, 버핏은 잘 활용되지 않을 수 있는 이익을 유보하는 것보다 적은 배당금을 지급하는 것을 선호합니다.

버핏은 자사주 매입에 대해 어떻게 생각하는가?

워런 버핏은 특정 조건하에서 자사주 매입에 대해 우호적인 견해를 표명했습니다. 일반적으로 그는 회사에 과잉 현금이 있고 주식이 저평가된 경우 자사주 매입은 회사가 주주에게 자본을 환원하는 효과적인 방법이 될 수 있다고 생각합니다.

버핏은 배당을 지불하면 주주가 세금을 내야 하기에 추가 세금이 발생하지 않는 자사주 매입이 주주에게 자본을 환원하는 더 우수한 방법이 될 수 있다고 밝혔습니다. 자사주 매입은 발행 주식 수가 감소하여 주가에 긍정적인 영향을 미칠 수 있으므로 회사의 주당 순이익을 높일 수 있습니다.

그러나 버핏은 자사주 매입은 회사의 주식이 저평가되어 있고 회사가 더 나은 용도로 사용할 수 없는 과도한 현금을 보유하고 있는 경우에만 이루어져야 한다고 강조해 왔습니다. 회사가 고평가되어 있거나 기업이 수익성이 높은 투자를 할 수 있을 경우 버핏은 자사주 매입을 선호하지 않습니다.

나는 배당 성향이 높은 기업을 선호하는 편이며(특히 한국에서는 이익을 유보하여 수익성이 높은 프로젝트에 재투자하는 사례가 많지 않다), 유상증자를 하는 기업을 매우 싫어하고(주식이 많아지면 주식 가치가 훼손되므로), 자사주 매입을 하는 기업을 선호하는 편이다.

손익계산서

회사의 손익계산서는 특정 기간 동안의 수익, 비용 및 이익에 대한 정보를 제공합니다. 손익계산서를 분석할 때 살펴봐야 할 주요 항목은 다음과 같습니다.

- 매출 성장의 흐름
- 매출총이익률
- 운영 비용 및 영업 마진
- 순이익 및 주당 순이익
- 일회성 항목 또는 비용

회사의 재무 성과를 더 잘 이해하려면 핵심 매출, 지출, 이익 항목의 변화를 살펴보고, 회사가 속한 산업의 다른 기업과 비교 분석하는 것이 중요합니다.

1. 매출 분석

- 매출 성장률: 회사의 수익을 분석할 때 가장 중요하게 고려해야 할 요소는 성장률입니다. 일반적으로 수익 성장률이 높은 회사는 수익이 정체되거나 감소하는 회사보다 더 매력적인 투자처입니다.
- 매출 구조: 고려해야 할 또 다른 중요한 요소는 제공하는 제품 또는 서비스 유형과 운영 중인 산업을 포함한 회사의 매출 구조입니다. 매출이 다양한 제품이나 서비스에서 발생하면 단일 제품이나 시장에 의존하는 위험을 줄일 수 있습니다.
- 단위 매출: 회사의 제품 또는 서비스의 단위 매출은 가격 전략과 수익성에 대한 인사이트를 제공할 수 있습니다. 단위당 수익이 높은 기업은 더 높은 수익을 창출할 수 있는 반면, 단위당 수익이 낮은 기업은 경쟁에 어려움을 겪을 수 있습니다.

- 매출의 계절성: 일부 매출은 계절적 수요나 전반적인 경제의 변동과 같은 요인으로 인해 1년 내내 매출이 크게 변동할 수 있습니다. 회사 매출의 계절성을 이해하면 분기별 재무 성과를 분석하여 인사이트를 얻을 수 있습니다.
- 매출원: 국내 사업과 해외 사업, 다양한 제품 라인 또는 사업 부문, 기타 매출 성장의 주요 원인 등 회사의 수익이 어디에서 발생하는지 이해하는 것도 중요합니다.

나는 매출성장률을 유심히 분석하고 시가 총액에서 매출액을 나눈 PSR 지표를 통해 이 기업이 매출 대비 고평가 또는 저평가 되었는지 분석한다.

2. 이익 분석

매출총이익, 영업 이익, 순이익 등, 회사의 이익을 분석할 때는 다음 요소를 고려해야 합니다.

- 마진율: 매출총이익 마진, 영업 이익 마진, 순이익 마진은 기업이 매출에서 지출을 공제한 후 남긴 매출총이익, 영업 이익, 순이익의 비율로 계산됩니다. 마진이 높다는 것은 회사가 판매에서 높은 수익을 창출할 수 있다는 것을 의미하며, 마진이 낮다는 것은 비효율적이거나 시장 내 경쟁이 치열하다는 것을 나타냅니다.

매출총이익 마진 = 매출총이익 / 매출액

영업 이익 마진 = 영입이익 / 매출액

순이익 마진 = 순이익 / 매출액

- 성장률: 매출총이익 성장률, 영업 이익 성장률, 순이익 성장률은 기업이 비즈니스를 확장하고 수익성을 높이고 있는지 여부를 보여 줍니다. 일반적으로 이익의 성장률이 높은 기업은 이익이 정체되거나 감소하는 기업보다 더 매력적으로 평가됩니다.
- 지출 변화: 시간이 지남에 따라 회사의 지출이 어떻게 변화하는지 이해하는 것이 중요합니다. 지출이 매출보다 빠르게 상승하는 경우, 경쟁이 치열해지거나 운영의 비효율성에 직면하고 있다는 시그널입니다.
- 가격 책정 전략: 회사의 가격 책정 전략도 마진과 성장에 큰 영향을 미칠 수 있습니다. 기업이 가격을 책정하는 방법과 가격 결정에 영향을 미치는 요인을 이해하면 수익성과 경쟁력에 대한 통찰력을 얻을 수 있습니다.

나는 매출총이익 성장률, 영업 이익 성장률, 순이익 성장률을 매우 중요시하고, 그 성장률이 더 커지는지(가속화) 또는 줄어드는지(둔화) 분석하며, 마진은 덜 중요시하는 편이다. 또한 시가 총액 대비 매출총이익PGPR, 영업 이익POR, 순이익PER이 어느 정도 수준인지 보면 기업의 고평가 또는 저평가 여부를 파악

할 수 있다고 생각한다.

현금흐름표

회사의 현금흐름표는 일반적으로 분기별 또는 연간 단위로 특정 기간 동안의 현금 유입과 유출을 보여 줍니다. 투자자는 현금흐름표를 분석할 때 다음 항목에 집중해야 합니다.

1. 영업 활동 현금흐름: 회사가 핵심 사업에서 얼마나 많은 현금을 창출하고 있는지 보여 줍니다.
2. 투자 활동 현금흐름: 장비 구매 또는 인수와 같이 회사가 현금을 어떻게 투자하고 있는지 보여 줍니다.
3. 재무 활동 현금흐름: 회사에서 채권을 발행하거나 대출을 받는 등 운영 자금을 어떻게 조달하는지 보여 줍니다.
4. 운전 자본의 변화: 회사가 일상적인 운영을 어떻게 관리하고 단기 부채 상환 의무를 이행할 수 있는 충분한 유동성을 확보하고 있는지 보여 줍니다.
5. 잉여 현금흐름: 영업 활동 현금흐름에서 자본 지출을 제한 후 회사가 기업 주주들에게 나눠 줄 수 있는 현금을 얼마나 창출하고 있는지 보여 줍니다.

1. 영업 활동 현금흐름

- 현금흐름 안정성: 영업 활동 현금흐름은 시간이 지남에 따라 안정적이고 일관적이어야 하며, 비즈니스 주기에 따라 변동은 있을

수 있지만 전반적으로 안정적인 흐름을 보여 주는 것이 좋습니다. 영업 활동 현금흐름의 변동성이 크거나 현금흐름이 감소하는 기업은 운전 자본 또는 기타 운영 리스크를 더 잘 관리해야 할 필요가 있습니다.

- 현금 전환 주기: 현금 전환 주기는 기업이 원자재 및 기타 자원을 매출에서 현금으로 전환하는 데 걸리는 기간입니다. 현금 전환 주기가 짧은 기업은 일반적으로 더 효율적이고 운전 자본을 더 잘 관리할 수 있는 것으로 간주됩니다.
- 연구 및 개발: 연구 개발 지출도 회사의 현금흐름에 영향을 미칠 수 있습니다. 이러한 지출의 규모와 초점, 그리고 이러한 지출이 회사의 전체 전략에 어떻게 부합하는지 이해하면 회사의 미래 성장 전망과 경쟁력에 대한 통찰력을 얻을 수 있습니다.

2. 투자 활동 현금흐름

회사의 투자 활동 현금흐름을 분석할 때는 다음 요소를 고려해야 합니다.

- 지출: 자본 지출 또는 자산, 플랜트 및 장비에 대한 투자는 회사의 투자 현금흐름에 영향을 미칠 수 있습니다. 이러한 지출의 금액과 시기, 자금 조달 방법을 이해하면 회사의 미래 성장 전망과 재무 건전성에 대한 통찰력을 얻을 수 있습니다.
- M&A: M&A는 회사의 투자 활동 현금흐름에 영향을 미칠 수 있습니다. 이러한 거래의 이유와 회사의 재무 성과 및 전략에 미치는 영향을 이해하면 향후 전망에 대한 귀중한 인사이트를 얻을

수 있습니다.

- 투자 포트폴리오: 다른 회사나 자산에 대한 투자가 많은 회사는 상당한 투자 활동 현금흐름이 있을 수 있습니다. 투자 자산의 구성과 성과를 이해하면 회사의 위험 허용 범위와 전반적인 재무 건전성에 대한 인사이트를 얻을 수 있습니다.

3. 재무활동 현금흐름

회사의 재무 활동 현금흐름을 분석할 때는 다음 요소를 고려하는 것이 중요합니다.

- 자본 구조: 회사의 자본 구조 또는 운영 자금 조달에 사용하는 부채와 자기 자본의 혼합은 자금 조달 현금흐름에 영향을 미칠 수 있습니다. 기업이 운영 자금을 조달하는 방법과 자본 구조 결정을 내리는 요인을 이해하면 재무 건전성과 유연성에 대한 통찰력을 얻을 수 있습니다.
- 부채 상환: 원금과 이자 상환을 포함한 부채 상환은 회사의 자금 조달 현금흐름에 영향을 미칠 수 있습니다. 이러한 상환 금액과 시기, 부채 상환을 이행할 수 있는 회사의 능력을 이해하면 재무 건전성과 위험 감내 능력에 대한 통찰력을 얻을 수 있습니다.
- 배당금 및 자사주 매입: 배당금과 자사주 매입도 회사의 자금 조달 현금흐름에 영향을 미칠 수 있습니다. 회사의 배당 정책과 자사주 매입 결정의 이유를 이해하면 재무 건전성과 향후 성장 계획에 대한 인사이트를 얻을 수 있습니다.
- 자본 조달: 부채 또는 주식 발행과 같은 자본 조달 활동도 회사

의 자금 조달 현금흐름에 영향을 미칠 수 있습니다. 이러한 조달 활동의 원인과 회사의 재무 성과 및 자본 구조에 미치는 영향을 이해하면 향후 전망에 대한 귀중한 인사이트를 얻을 수 있습니다.

- 리스 활동: 자산, 플랜트 및 장비에 대한 리스 계약 체결과 같은 리스 활동은 회사의 자금 조달 현금흐름에 영향을 미칠 수 있습니다. 이러한 리스의 조건과 회사의 재무 성과 및 자본 구조에 미치는 영향을 이해하면 미래를 전망할 수 있습니다.

4. 운전 자본 분석

회사의 운전 자본을 분석할 때는 다음 요소를 고려하는 것이 중요합니다.

- 유동 자산: 현금 및 현금자산, 매출채권, 재고를 포함한 회사의 유동 자산의 수준과 구성은 운전 자본에 영향을 미칠 수 있습니다. 기업이 유동 자산을 관리하는 효율성과 효과를 이해하면 재무 건전성과 미래 성장 전망에 대한 통찰력을 얻을 수 있습니다.
- 유동 부채: 미지급금과 단기 부채를 포함한 회사의 유동 부채의 수준과 구성도 운전 자본에 영향을 미칠 수 있습니다. 이러한 부채의 금액과 시기, 부채를 상환할 수 있는 회사의 능력을 이해하면 재무 건전성과 위험 감내 능력에 대한 인사이트를 얻을 수 있습니다.
- 현금 전환 주기: 현금 전환 주기는 기업이 원자재를 현금으로 전환하는 데 걸리는 시간을 측정하는 것으로, 운전 자본 성과에 대한 귀중한 인사이트를 제공할 수 있습니다. 현금 전환 주기의

동인과 이것이 회사의 재무 성과에 미치는 영향을 이해하면 향후 전망에 대한 인사이트를 얻을 수 있습니다.

- 매출 채권 및 재고 관리: 기업이 미수금과 재고를 관리하는 효율성과 효과는 운전 자본에도 영향을 미칠 수 있습니다. 매출 채권 및 재고 정책의 이용 약관과 그것이 회사의 재무 성과에 미치는 영향을 이해하면 향후 전망에 대한 귀중한 인사이트를 얻을 수 있습니다.
- 결제 조건: 기업이 공급 업체에 제공하는 결제 조건과 고객으로부터 받는 결제 조건도 운전 자본에 영향을 미칠 수 있습니다. 이러한 조건이 회사의 재무 성과에 미치는 영향을 이해하면 향후 전망에 대한 귀중한 통찰력을 얻을 수 있습니다.

5. 잉여 현금흐름

영업 활동 현금흐름에서 자본지출을 뺀 '잉여 현금흐름Free Cash Flow'은 워런 버핏이 매우 중요하게 여기는 지표입니다. 워런 버핏은 기업의 잉여 현금흐름 창출 능력의 중요성을 강조하는 확고한 투자 철학을 가지고 있습니다. 그가 기업의 잉여 현금흐름에 특히 주목하는 데에는 몇 가지 이유가 있습니다.

- 재무 건전성: 버핏은 잉여 현금흐름이 자본 지출이 완료된 후 남는 현금을 측정하기 때문에 기업의 재무 건전성을 나타내는 핵심 지표라고 믿습니다. 이를 통해 회사가 운영과 성장을 뒷받침하기에 충분한 현금을 창출하고 있는지 평가할 수 있습니다.
- 장기적 초점: 버핏은 지속 가능한 경쟁 우위를 확보하고 시간이

지나도 일관된 수익을 창출할 수 있는 기업을 찾는 데 집중하는 장기 투자자입니다. 잉여 현금흐름은 장기적으로 현금을 창출할 수 있는 기업의 능력을 나타내기 때문에 버핏에게 중요한 지표입니다.

- 고평가 기업 피하기: 버핏은 내재가치보다 할인된 가격에 기업을 매수하는 가치투자자로 잘 알려져 있습니다. 그는 잉여 현금흐름에 집중함으로써 기업이 현재 가치를 정당화할 수 있을 만큼 충분한 현금을 창출하고 있는지 평가할 수 있습니다. 이를 통해 고평가된 주식을 피할 수 있었습니다.
- 재투자 능력: 잉여 현금흐름이 플러스인 기업은 현금을 사업에 재투자하거나 배당 또는 자사주 매입을 통해 주주에게 환원할 수 있는 능력이 있습니다. 이는 주주에게 일관된 수익을 창출할 수 있는 기업을 찾으려는 버핏에게 중요한 요소입니다.

요약하자면, 워런 버핏은 기업의 잉여 현금흐름이 기업의 재무 건전성과 장기적인 현금 창출 능력을 나타내는 중요한 지표라고 믿기 때문에 기업의 잉여 현금흐름에 주의를 기울입니다.

나는 주로 영업 활동 현금흐름PDR과 잉여 현금흐름PFCR의 추세와 기업의 시가총액 대비 영업 활동 현금흐름과 잉여 현금흐름이 어느 정도 수준인지 분석하고, 차입금의 증가 및 감소 여부를 확인한다(당연히 줄어들수록 기업의 안정성이 제고된다).

참고로 재무제표 분석에 대해 추가로 공부하고 싶은 사람에게 나는 초보자에게는 유흥관의 《읽으면 진짜 재무제표 보이는 책》, 중·고급자에게는 실제 주식투자자인 박동흠, 사경인 회계사의 책을 추천한다. 그리고 어떤 재무제표 지표를 보고 투자하면 주식투자에서 초과 수익을 내는지 알고 싶은 사람에게는 내가 쓴 《퀀트 투자 무작정 따라하기》를 추천한다.

기업의 비즈니스 모델 분석

'철저한 분석'의 첫걸음인 재무 분석만 해도 고려해야 할 지표가 정말 많다. 그러나 가치투자의 꽃은 경쟁적 우위를 보유한 우량 기업을 저평가된 가격에 사는 것 아니겠는가? 기업의 우량 여부는 재무제표만으로는 파악하기 어렵다. 어떻게 기업의 비즈니스 모델과 경영진을 분석하는지에 대한 노하우를 챗GPT에게 문의했다.

회사의 비즈니스 모델을 평가할 때는 다음과 같은 몇 가지 요소를 고려해야 합니다.

1. 매출 흐름: 회사는 어떻게 매출을 창출하며, 이 매출원은 지속 가능하고 확장 가능한가?
2. 목표 시장: 회사의 타깃 시장은 어떤 것이며, 이 타깃 시장은 규모가 크고 성장하는가?
3. 경쟁 우위: 경쟁사와 차별화되고 경쟁 우위를 제공하는 요소는

무엇인가?

4. 운영 효율성: 회사가 얼마나 효율적으로 운영되고 있으며 높은 이익(매출총이익, 영업 이익, 순이익) 마진을 창출할 수 있는가?
5. 재무 안정성: 재무제표가 탄탄하고 현금흐름이 긍정적이며 부채 수준이 낮은 등 재정적으로 안정적인 회사인가?
6. 경영진의 자질: 회사 경영진은 경험이 풍부하고 유능하며 성공 실적이 있는가?
7. 성장 잠재력: 회사가 명확한 성장 계획을 가지고 있으며, 향후 매출과 수익이 증가할 가능성이 있나?

이 중 4, 5번은 앞서 살펴본 재무제표 분석을 통해서 답을 얻을 수 있을 것 같다. 3번은 다음 챕터에서, 6번은 다다음 챕터에 설명한다. 1~2번은 추가적인 정성적 분석이 필요해 보인다. 물론 이 분석을 어떻게 하는지도 챗GPT가 알려 주겠지? 7번은 1~3번을 이해하면 저절로 이해할 수 있을 것 같다.

기업의 매출원이 지속 가능하고 확장 가능한지 어떻게 분석하나?

기업의 매출이 지속 및 확장 가능한지 평가할 때 고려해야 할 몇 가지 요소가 있습니다.

1. 시장 기회: 규모가 크고 성장하는 시장에서 매출이 성장할 가능성이 높습니다. 규모가 크고 성장하는 시장이란 기업의 제품이나 서

비스에 대한 수요가 지속 가능한 성장을 뒷받침할 만큼 충분하다는 것을 의미합니다.

2. 경쟁 우위: 회사는 경쟁사와 차별화되고 수익원을 보호할 수 있는 지속 가능한 경쟁 우위를 가지고 있어야 합니다. 이는 고유한 제품 또는 서비스 제공, 지적 재산 또는 강력한 브랜드의 형태일 수 있습니다.
3. 충성 고객: 충성도 높은 고객층을 보유한 기업은 고객이 회사의 제품이나 서비스에 만족하고 경쟁 업체로 전환할 가능성이 낮기 때문에 지속 가능한 수익원을 확보할 가능성이 높습니다.
4. 가격 결정력: 가격 결정력이 있는 기업은 고객을 잃지 않고도 가격을 인상할 수 있으며, 이는 지속 가능한 수익원을 가지고 있는지 판단하는 핵심 지표입니다. 해당 기업의 제품이나 서비스를 대체할 수 있는 제품이 부족하거나, 고객의 전환 비용이 높거나, 강력한 브랜드가 있기 때문일 수 있습니다.
5. 비용 구조: 회사의 매출이 증가해도 비용이 그만큼 증가하지 않는 구조가 좋습니다. 이는 회사가 성장함에 따라 수익성을 높일 수 있는 잠재력이 있음을 의미합니다.

예를 들면, 소프트웨어 회사는 고정 비용이 크고 변동 비용이 적으니 추가 매출이 발생해도 추가 지출은 적은 편이다.

6. 다각화: 매출원을 다각화하면 시장 변동이나 경쟁에 취약할 수 있는 단일 수익원에 의존하는 위험을 줄일 수 있습니다. 여러 수익원을 보유한 기업은 지속 가능하고 확장 가능한 성장을 이룰 가능성이 높습니다.
7. 실적: 회사의 매출 성장 및 수익성 관련 지표는 수익원의 지속 가능성과 확장성에 대한 정보를 제공합니다. 일관된 성장과 높은 수익성의 역사를 가진 회사는 재무 실적이 불안정한 회사보다 지속 가능하고 확장 가능한 수익원을 보유할 가능성이 높습니다.

어떻게 기업의 타깃 시장을 파악하고 그 시장의 규모 및 성장 여부를 파악할 수 있나?

기업의 목표 시장을 찾고 해당 시장이 크고 성장하는 시장인지 확인하려면 다음 단계를 고려할 수 있습니다.

1. 기업의 마케팅 자료 조사: 회사의 웹사이트, 연례 보고서 및 기타 마케팅 자료는 인구 통계, 지리적 위치, 심리적 특성 등 목표 시장에 대한 정보를 제공합니다.
2. 업계 분석: 회사가 사업을 영위하는 산업에 대한 시장 조사를 수행하면 목표 시장의 규모와 성장 잠재력에 대한 인사이트를 얻을 수 있습니다. 리서치 회사나 정부 기관과 같은 평판이 좋은 출처에서 발표한 업계 보고서와 시장 규모 추정치를 찾아보길 바랍니다.
3. 회사의 경쟁 업체 분석: 경쟁사의 목표 시장을 이해하면 자체 목표

시장의 규모와 성장 잠재력에 대한 인사이트를 얻을 수 있습니다. 경쟁사 분석은 회사에 잠재적인 기회가 될 수 있는 소외된 시장 부문을 파악하는 데도 도움이 될 수 있습니다.

4. 고객 데이터 분석: 회사에 판매 데이터나 고객 설문조사와 같은 고객 데이터가 있는 경우, 이를 통해 목표 시장의 규모와 성장 잠재력 등의 정보를 얻을 수 있습니다.
5. 업계 전문가와 대화: 컨설턴트나 애널리스트와 같은 업계 전문가와 대화하면 회사의 목표 시장의 규모와 성장 잠재력에 대한 귀중한 인사이트를 얻을 수 있습니다. 이들은 투자에 도움이 되는 중요한 데이터를 보유하거나 업계에 대한 풍부한 지식이 있을 수 있습니다.

4장
경쟁 우위 분석

지속 가능한 경쟁 우위는 기업이 경쟁사보다 장기적으로 우위를 점할 수 있는 고유한 특성을 의미합니다. 지속 가능한 경쟁 우위를 가진 기업을 찾는 몇 가지 방법이 있습니다.

1. 산업 분석: 기업이 속한 산업과 그 역학을 이해하면 기업에 지속 가능한 우위를 부여하는 특성을 파악하는 데 도움이 될 수 있습니다. 예를 들어, 강력한 브랜드, 특허 또는 독점 기술을 보유한 기업은 경쟁 우위를 유지할 수 있는 경우가 많습니다.
2. 경제적 해자가 넓은 기업 찾기: 경제적 해자가 넓다는 것은 시간이 지나도 시장 지위와 수익성을 유지할 수 있는 기업의 능력을 의미합니다. 강력한 네트워크 효과, 규모의 경제, 높은 전환 비용을 가진 기업은 종종 넓은 경제적 해자를 유지할 수 있습니다.
3. 경영진의 실적 평가: 강력한 리더십과 성공적인 전략적 의사 결정의 성과를 보여 준 경영진을 보유한 기업은 지속 가능한 경쟁

우위를 유지할 가능성이 높습니다.

4. 과거 성과 확인: 재무 성과가 지속적으로 우수한 기업은 지속 가능한 경쟁 우위를 확보했을 가능성이 높습니다.
5. 업계 동향 모니터링: 최신 업계 동향과 기술 발전을 파악하면 경쟁 우위를 유지할 수 있는 좋은 위치에 있는 기업을 식별하는 데 도움이 됩니다.

장기적으로 우위를 지킬 수 있는 기업을 매수하는 것이 가치투자의 핵심이기 때문에 조금 더 디테일한 질문이 필요했다. 이렇게 꼬리에 꼬리를 무는 질문에 대해 상당한 수준의 답변을 해 줄 수 있다는 것이 챗GPT의 강점이 아닌가 싶다.

산업 분석

산업의 전반적인 규모와 성장, 경쟁 업체의 시장 점유율, 규제 환경, 기술 발전, 경제 상황, 소비자 트렌드 등의 주요 요인을 검토합니다. 고려해야 할 다른 중요한 요소로는 경쟁 수준, 진입 장벽, 산업별 위험 또는 과제의 존재 여부 등이 있습니다. 산업 분석의 목표는 해당 산업을 깊이 이해하고 성장, 수익성 및 위험에 대한 현재와 미래의 잠재력을 평가하는 것입니다. 산업을 분석할 고려해야 할 중요한 요소는 다음과 같습니다.

1. 산업 규모 및 성장 잠재력

2. 경쟁 기업 및 각 시장 점유율
3. 산업 동향 및 기술 발전
4. 규제 및 정부 정책
5. 비용 구조 및 공급업체와의 역학 관계
6. 소비자 행동 및 구매 패턴
7. 시장 세분화 및 타겟 인구 통계
8. 계절적 또는 주기적 변동
9. 시장 가격 및 가격 결정력
10. 제품 차별화 및 브랜딩 전략

특정 산업에 대한 정보는 아래와 같이 찾아볼 수 있습니다.

- 산업 보고서: 특정 산업에 대한 보고서를 작성하는 많은 리서치 회사나 증권사에서 해당 산업의 규모, 성장률, 동향 및 주요 업체들에 대한 유용한 정보를 제공합니다. 산업 보고서로 기관 및 기업으로는 IBIS 워드IBISWorld, 프로스트 앤드 설리반Frost & Sullivan, 유로모니터Euromonitor 등이 있습니다.
- 정부 웹사이트: 각국 통계청 등 정부 웹사이트에서는 특정 산업에 대한 데이터와 통계를 제공하는 경우가 많습니다.
- 금융 데이터베이스: 블룸버그, S&P 글로벌 마켓 인텔리전스, 톰슨 로이터와 같은 금융 데이터베이스는 특정 산업에 대한 정보를 포함하여 상장 기업에 대한 재무 데이터와 분석을 제공합니다.
- 무역 협회: 각국 무역 협회는 종종 산업 통계, 동향, 주요 업체 정

보 등 해당 산업에 대한 풍부한 정보를 보유하고 있습니다. 또한 이벤트를 주최하고 업계 전문가를 위한 네트워킹 기회를 제공할 수도 있습니다.

- 온라인 검색: 관련 키워드를 사용하여 온라인 검색을 하면 특정 산업에 대한 기사, 보도 자료 및 기타 정보를 찾을 수 있습니다. 업계 동향과 발전에 관한 뉴스 기사를 검색하면 유용한 인사이트를 얻을 수 있습니다.
- 네트워킹: 업계 전문가, 임원 및 기타 전문가와 같은 업계 종사자와의 네트워킹을 통해 업계에 대한 귀중한 정보와 인사이트를 얻을 수 있습니다.

강력한 브랜드, 네트워크 효과, 규모의 경제, 높은 전환 비용이 있는 기업이 경제적 해자를 보유할 가능성이 높다고 했으니 이 개념도 각각 알아보자.

강력한 브랜드를 유지하는 방법

기업은 고품질의 제품 또는 서비스를 지속적으로 제공하고, 우수한 고객 서비스를 제공하며, 고유한 가치 제안을 효과적으로 전달하고, 지속적으로 혁신하고 개선하며, 평판을 관리하고, 지적 재산을 보호함으로써 강력한 브랜드를 유지할 수 있습니다. 또한 기업은 브랜드를 홍보하고 강력한 브랜드 이미지를 구축하기 위해 마케팅 및 광고에 투자할 수도 있습니다.

강력한 네트워크 효과란 무엇인가

강력한 네트워크 효과란 제품이나 서비스를 사용하는 사람이 많아질수록 그 가치가 높아지는 현상을 말합니다. 즉, 제품이나 서비스를 사용하는 사람이 많아질수록 그 가치는 더욱 높아집니다. 이는 더 많은 사람들이 제품을 사용할수록 새로운 사용자에게 더 매력적으로 다가갈 수 있고, 이는 다시 그 가치를 더욱 높이는 긍정적인 선순환 구조를 만들어 냅니다.

강력한 네트워크 효과의 대표적인 예는 전화기입니다. 전화기를 가진 사람이 많아질수록 더 많은 사람과 연결할 수 있기 때문에 각 개인이 전화기를 갖는 것이 더 가치가 있게 되었습니다. 이로 인해 전화기를 가진 사람들의 수가 급격히 증가하여 전화기의 가치가 더욱 높아졌습니다.

또 다른 예는 페이스북이나 트위터 같은 소셜 미디어 플랫폼입니다. 이러한 플랫폼을 사용하는 사람이 많을수록 사용자는 친구, 가족 등 더 큰 네트워크와 연결될 수 있기 때문에 플랫폼의 가치가 높아집니다. 이는 더 많은 사용자를 플랫폼으로 끌어들이고, 결과적으로 플랫폼의 가치를 더욱 높여 줍니다. 이러한 네트워크 효과는 신규 진입자가 기존 강자의 시장 지배력에 도전하기 어렵게 만듭니다.

규모의 경제를 유지할 수 있는 기업

규모의 경제를 유지할 수 있는 기업은 생산 규모가 증가함에 따라 단위당 더 낮은 비용으로 상품이나 서비스를 생산할 수 있는 능력을 갖춘 기업입니다. 이는 일반적으로 범위의 경제, 조달, 유통 및 마케팅의 규모의 경제, 기술, R&D 및 인적 자본에 대한 투자와 같은 여러 요인의 조합을 통해 만들어집니다. 거대 기술 기업, 전자상거래 기업, 대규모 다국적 기업과 같은 기업은 종종 규모의 경제를 달성할 수 있으며, 이를 통해 소규모 경쟁사보다 상당한 경쟁 우위를 확보할 수 있습니다.

전환 비용이 높은 기업

전환 비용이 높은 기업은 한 제품이나 서비스에서 다른 제품으로 변경하는 데 드는 비용이 상당히 높은 기업입니다. 이는 독점 기술에 대한 투자, 강력한 고객 관계 형성, 전문 교육의 필요성 등 다양한 이유 때문일 수 있습니다. 전환 비용이 높은 기업의 예로는 통신, 소프트웨어, 금융 서비스 등의 업종에 속한 기업이 있습니다.

업계 동향과 기술 개발에 대한 정보는 어디서 얻는가

특정 산업의 최신 트렌드와 기술 개발에 대해 알아볼 수 있는 여러 방법이 있습니다.

- 업계 컨퍼런스 및 행사: 업계 컨퍼런스 및 행사에 참석하면 특정 업계의 최신 트렌드와 기술 발전에 대해 배울 수 있습니다. 업계 전문가와 네트워크를 형성하고, 전문가 및 사고 리더의 의견을 듣고, 최신 제품, 서비스 및 기술에 대해 배울 수 있습니다.
- 무역 간행물: 무역 간행물은 특정 산업에 특화된 잡지, 웹사이트, 뉴스레터입니다. 이러한 간행물은 업계의 최신 동향 및 관련

기술에 대한 정보를 제공하는 경우가 많습니다.

- 온라인 검색: 인터넷에서 특정 산업의 최신 트렌드와 기술 개발에 관한 뉴스와 기사를 검색하면 유용한 인사이트를 얻을 수 있습니다. 업계 보고서, 뉴스 기사, 블로그 게시물을 검색해 보십시오.
- 소셜 미디어: 소셜 미디어 플랫폼은 특정 산업의 최신 트렌드와 기술 개발에 대한 최신 정보를 얻을 수 있는 좋은 방법입니다. 관련 해시태그, 인플루언서, 업계 리더를 팔로우하면 유용한 인사이트와 업데이트를 얻을 수 있습니다.
- 정부 기관: 다양한 산업 분야의 연구 개발을 위한 자금과 지원을 제공하는 정부 기관이 많습니다. 이러한 기관의 자금 지원 발표와 연구 결과를 지속적으로 확인하면 업계의 최신 트렌드와 기술 개발에 대한 귀중한 인사이트를 얻을 수 있습니다.
- 전문 협회: 전문 협회는 종종 해당 산업의 최신 동향과 기술 개발에 대한 정보를 제공합니다. 또한 최신 트렌드와 기술에 대한 업데이트를 제공하는 행사나 세미나를 주최할 수도 있습니다.

경영진 평가에 대한 내용은 다음 챕터에서 다루기로 하고, '과거 성과 확인'은 재무제표를 설명한 전 챕터에서 충분히 설명했다. 여기서 이런 의문이 생겼다. 경쟁 우위가 없는 회사가 좋은 투자처가 될 수 있을까? 이에 대해 챗GPT는 어떻게 답할까?

질문: 경쟁 우위가 없는 회사도 좋은 투자가 될 수 있는가?

답변: 아니오, 경쟁 우위가 없는 회사는 일반적으로 치열한 경쟁에 직면하고 시장 지위와 수익성을 유지하기 위해 고군분투하기 때문에 위험한 투자로 간주됩니다. 강력한 브랜드, 규모의 경제 또는 높은 전환 비용과 같은 강력한 경쟁 우위를 가진 회사는 성공적인 투자가 될 가능성이 더 높습니다.

질문: 아주 낮은 밸류에이션에 매수해도 그런가?

답변: 경쟁 우위가 부족하다면 낮은 배수로 회사를 인수한다고 해서 좋은 투자가 보장되는 것은 아닙니다. 경쟁 우위가 없는 기업은 치열한 경쟁, 고객 유지의 어려움, 수익성 유지의 어려움과 같은 역풍에 직면할 수 있습니다. 지속 가능한 경쟁 우위, 탄탄한 재무 상태, 주주를 위한 가치를 창출할 수 있는 경영진을 갖춘 기업을 찾는 것이 중요합니다.

챗GPT는 '그저 그런 기업을 싼 가격에 사는' 그레이엄식 투자보다는 '훌륭한 기업을 적절한 가격에 사는' 버핏식 투자를 선호하는 것 같다. 나와는 반대다! 어느 쪽의 성과가 더 좋은지는 두고 보도록 하자.

5장
경영진 평가

이제 재무제표 분석과 기업의 비즈니스 모델 분석을 어떻게 하는지 배웠고, 어떤 기업이 장기적으로 비교 우위를 유지할 수 있는지 분석했다. 마지막으로 기업을 운영하는 사람들, 즉 경영진을 어떻게 평가할 수 있는지 물어보자.

경영진의 능력은 회사의 장기적인 성공에 큰 영향을 미칠 수 있으므로 회사의 경영진을 평가하는 것은 주식 분석의 중요한 요소입니다. 다음은 회사 경영진을 평가하는 몇 가지 방법입니다.

1. 경영진 분석: CEO 및 기타 최고 경영진의 배경, 경력, 실적을 살펴보고 그들이 회사를 이끌 수 있는 전문성과 경험을 갖추고 있는지 확인합니다.
2. 전략적 결정에 대한 평가: 회사의 최근 전략적 의사 결정이 신중하게 이루어졌는지, 어떤 결과를 도출했는지 평가합니다.

3. 내부자 주식 보유: 내부자의 주식 보유, 특히 최고 경영진의 주식 보유 액수가 높은 기업은 경영진의 이익과 주주의 이익이 일치할 가능성이 큽니다.
4. 보상 정책: 급여, 보너스, 스톡옵션, 자사주 보상을 포함한 회사의 보상 정책을 평가하여 합리적이고 회사의 성과와 일치하는지 확인합니다.
5. 주주와의 커뮤니케이션 검토: 어닝 콜, 투자자 프레젠테이션, 연례 보고서 등 회사가 주주와 소통하는 방식을 살펴보고 경영진이 투명하고 효과적으로 소통하는지 확인합니다.
6. 경영진의 변화 모니터링: 퇴사 및 신규 채용과 같은 경영진의 변화에 주의를 기울여 회사의 장기 전략과 일치하는지 확인합니다.

경영진 분석

경영진에서 가장 중요한 CEO의 실적을 분석할 때 가장 중요한 요소는 다음과 같습니다.

1. 매출 및 수익 성장을 포함한 CEO가 달성한 재무 성과를 확인합니다.
2. 성공적인 인수합병 및 신제품 개발을 포함한 전략적 비전과 실행계획이 무엇인지 확인합니다. CEO의 전략적 비전과 실행력을 평가하려면 과거의 의사 결정, 리더십하에서 회사의 성과와 변화와 도전에 적응하는 능력을 검토해야 합니다. 커뮤니케이션 능력과 직원 및 이해관계자와의 협업 능력, 리더십 스타일과 팀 구

성 능력, 올바른 비즈니스 의사 결정에 대한 실적도 분석해 볼 수 있습니다. 애널리스트 보고서를 검토하고 업계 뉴스와 동향을 살펴보는 것도 유용할 수 있습니다.

3. 핵심 임원과 직원을 포함한 최고의 인재를 유치하고 유지하는 능력을 확인합니다. 기업은 경쟁력 있는 연봉 및 복지를 제공하고, 전문성 개발과 경력 성장의 기회를 제공하며, 긍정적이고 포용적인 업무 환경을 조성하고, 유연한 근무 방식을 제공하며, 일과 삶의 균형을 위한 노력을 보여 줌으로써 최고의 인재를 유치하고 유지할 수 있습니다. 또한 명확하고 영감을 주는 회사 비전과 높은 성과를 중시하고 보상하는 문화를 갖추는 것도 최고의 인재를 유치하고 유지하는 데 중요한 요소가 될 수 있습니다.
4. 윤리적 리더십과 '책임감 있는 기업 거버넌스' 실행력을 확인합니다. 윤리적 리더십은 책임감 있고 윤리적인 방식으로 리더십을 발휘하여 청렴성, 정직성, 강한 도덕성을 보여 주는 것을 의미합니다. 조직의 가치와 원칙에 부합하는 결정을 내리고 직원, 고객, 주주, 사회 전반을 포함한 이해관계자의 요구와 균형을 맞추는 것도 포함됩니다. 윤리적 리더는 모든 직원에 대한 신뢰, 공정성, 존중을 조성하여 긍정적인 업무 환경을 조성합니다.
   '책임감 있는 기업 거버넌스'란 회사의 운영과 의사 결정을 안내하고 감독하는 일련의 과정, 원칙, 가치를 의미합니다. 여기에는 회사 내 권력 구조와 배분, 리더와 관리자의 책임, 의사 결정과 책임 소재를 가리는 데 사용되는 과정 및 시스템이 포함됩니다. 책임 있는 기업 거버넌스의 목표는 회사가 주주, 직원, 고객, 사회 전반을 포함한 이해관계자의 최선의 이익을 위해 운영되도록 하는 것입니다. 책임감 있는 기업 거버넌스는 투명성, 책임성, 윤리적 행동을 촉진하고 부패 또는 잘못된 관리의 위험을 최소화하는 데 기여합니다.

5. 업계 및 투자자들 사이에서 평판과 신뢰도를 확인합니다.
6. 주주 및 이해관계자와의 소통 및 투명성을 확인합니다. 주주 커뮤니케이션에서 중요하게 다뤄져야 할 요소는 다음과 같습니다.
   - 커뮤니케이션의 적시성 및 빈도
   - 보고의 투명성과 정직성
   - 제공된 정보의 관련성 및 품질
   - 주주 및 이해관계자의 적극적인 참여
   - 회사 성과, 전략 및 위험 요소에 대한 적절한 공개
   - 질문 및 토론을 위한 주요 경영진의 가용성
   - 연례 보고서, 실적 발표, 투자자 프레젠테이션 등 커뮤니케이션 채널의 효과적인 활용
7. 주주의 우려 및 행동주의에 대한 대응력을 확인합니다. 기업 행동주의에 대한 CEO의 대응은 행동주의 주주의 구체적인 상황과 목표에 따라 달라질 수 있습니다. 그러나 CEO는 열린 소통과 투명성에 중점을 두고 행동주의에 접근해야 합니다. CEO는 행동주의 주주의 우려에 귀를 기울이고 그들의 관점을 이해하며 건설적인 대화에 참여해야 합니다. 또한 CEO는 회사뿐 아니라 모든 주주의 장기적인 이익을 고려하는 것도 중요합니다. 궁극적으로 CEO는 회사와 이해관계자에게 최선이 되는 결정을 내리

기 위해 노력해야 합니다.

전반적으로 뜬구름 잡는 답변이 많은데, 원래 CEO 평가라는 것이 정량적 분석이 어렵고 수많은 정성적 요소를 검토해야 하기 때문에 어쩔 수 없는 것 같다. 'CEO 평가는 어려운 것이다' 정도로 넘어가자!

전략적 결정에 대한 평가

회사 경영진의 전략적 의사 결정 품질을 평가하는 방법에는 여러 가지가 있습니다.

- 재무 성과: 회사 경영의 질을 평가하는 가장 일반적 방법은 재무 성과를 살펴보는 것입니다. 매출 성장, 수익성, 투자 수익률ROI, 주가의 상승 여부 같은 지표가 여기에 포함됩니다.
- 고객 만족도: 경영진의 전략적 의사 결정 품질을 나타내는 또 다른 핵심 지표는 고객 만족도입니다. 고품질의 제품이나 서비스를 지속적으로 제공하고, 고객의 요구와 불만에 대응하며, 고객과 좋은 관계를 유지하는 기업은 일반적으로 우수한 경영진을 보유한 것으로 해석됩니다.
- 직원 만족도: 높은 수준의 직원 만족도 역시 강력한 경영진의 좋은 지표가 될 수 있습니다. 직원이 행복하고 업무에 몰입하면 생산성이 높아지고 회사의 성과가 향상될 수 있습니다.
- 시장 점유율: 회사의 시장 점유율은 경영진의 의사 결정 능력에

대한 인사이트를 제공할 수 있습니다. 시장의 상당 부분을 지속적으로 확보하고 유지하는 기업은 일반적으로 효과적인 경영진을 보유하고 있습니다.

- 혁신: 새로운 제품, 서비스 또는 기술을 지속적으로 도입할 수 있는 혁신적인 기업은 우수한 경영진을 보유했을 가능성이 높습니다. 혁신은 성장과 경쟁력의 핵심 원동력입니다.
- 리스크 관리: 위험을 식별하고 관리하는 능력은 전략적 의사 결정의 중요한 측면입니다. 위험을 피하거나 완화하는 데 좋은 실적을 가진 기업은 일반적으로 우수한 경영진을 보유했다고 볼 수 있습니다.

내부자 주식 보유

내부자의 주식 보유, 특히 최고 경영진의 주식 보유 액수가 높은 기업은 경영진의 이익과 주주의 이익이 일치할 가능성이 큽니다. 최고 경영진의 주식 보유 상황은 의사 결정의 질을 나타내는 유용한 지표가 될 수 있습니다. 경영진이 회사 주식에 대한 상당한 지분을 보유하고 있으면 경영진의 이해관계가 주주의 그것과 일치하여 회사의 장기적인 성공과 최선의 이익에 부합하는 의사 결정을 내릴 가능성이 높아집니다. 경영진이 주식을 많이 보유할 때의 이점은 다음과 같습니다.

- 책임감 증가: 회사 주식을 상당량 소유한 경영진은 자신의 결정과 회사의 전반적인 성과에 대해 책임을 질 가능성이 높습니다.

- 이해관계의 일치: 경영진의 개인 재산이 회사의 성공과 연계되어 있을 때, 경영진은 주주에게 가장 이익이 되는 결정을 내릴 가능성이 높습니다.
- 장기적인 관점: 주식을 많이 소유한 경영진은 단기적인 성과에만 집중하기보다는 회사의 전략과 성과에 대해 장기적인 관점을 취할 가능성이 높습니다.

하지만 주식 보유만으로 좋은 의사 결정을 보장하는 것은 아니라는 점을 명심해야 합니다. 회사의 재무 성과, 시장 점유율, 고객 만족도, 직원 만족도와 같은 다른 요소도 회사 경영의 질을 평가할 때 고려해야 합니다.

또한 주식 소유 구조와 이로 인해 잠재적인 이해 상충이 발생하는지 여부를 살펴보는 것도 중요합니다. 특정 개인이나 몇몇 대주주가 주식의 대부분을 소유하고 있다면 이들의 이해관계가 다른 주주들의 이해관계와 일치하지 않는 상황이 발생할 수 있습니다.

예를 들어, 대주주는 회사의 장기적인 성장과 안정성에 부정적인 영향을 미치더라도 배당금을 지급하거나 자사주 매입에 동의하는 등 자신의 부를 늘리는 결정을 추진할 수 있습니다. 그리고 회사의 의사 결정 과정에 더 많은 영향력을 행사하여 잠재적으로 다른 주주에게 최선이 아닌 결정을 내릴 수도 있습니다. 또한 소수의 대주주에게 소유권이 집중되면 회사 내 다양성이 제한되어 혁신과 발전이 후퇴할 수도 있습니다.

보상 정책

경영진 보상 정책은 경영진의 이익과 주주의 이익을 일치시키고 회사의 장기적인 성공을 촉진하는 방향으로 이루어져야 합니다. 좋은 경영진 보상 정책의 핵심 요소는 다음과 같습니다.

- 기본급: 기본급은 업계 내에서 경쟁력이 있어야 하며 해당 개인의 책임과 업무 경력을 반영해야 합니다.
- 성과 기반 인센티브: 경영진 보상의 상당 부분은 보너스나 스톡옵션과 같은 성과 기반 인센티브와 연계되어야 합니다. 경영진이 회사의 성공을 위해 일할 수 있도록 동기를 부여하는 것입니다.
- 장기 인센티브: 스톡옵션이나 자사주 등 장기 인센티브는 경영진과 주주의 이해관계를 일치하는 데 기여합니다. 이러한 유형의 보상은 경영진이 회사의 장기적인 성공에 집중하도록 합니다.
- 성과 지표: 보너스 또는 기타 성과 기반 인센티브를 결정하는 데 사용되는 성과 지표는 객관적이며 회사의 전반적인 전략 및 목표와 일치해야 합니다.
- 인센티브 회수 조항: 위법 행위 또는 잘못된 관리가 발생한 경우 회사가 보상을 회수할 수 있도록 하는 조항이 있으면 경영진이 경영 활동에 대해 장기적으로 책임을 지게 됩니다.
- 정기적인 검토: 보상 정책은 정기적으로 검토하고 업데이트함으로써 현재 시점에도 효과적인지 확인해야 합니다.

이러한 요소 외에도 관리 보상 정책을 개발할 때 회사의 특정 요구

사항과 목표를 고려하는 것이 중요합니다. 회사의 규모, 발전 단계 등 다른 요소가 포함될 수 있습니다.

주주와의 커뮤니케이션

주주와의 원활한 커뮤니케이션에는 일반적으로 다음과 같은 요소가 포함됩니다.

- 투명성: 기업은 운영, 재무 성과 및 향후 계획에 대한 정직하고 투명한 정보를 제공해야 합니다. 이는 주주와의 신뢰를 구축하고 주주가 합리적인 의사 결정을 내리는 데 기여합니다.
- 정기성: 기업은 연례 보고서, 분기별 실적 발표, 주주 총회 등을 통해 주주와 정기적으로 소통해야 합니다. 이를 통해 주주들은 회사의 진행 상황에 대한 최신 정보를 얻을 수 있습니다.
- 관련성: 기업은 주주와 관련이 있고 중요한 정보를 공유하는 데 집중해야 합니다. 재무 결과, 비즈니스 전략, 미래 성장 계획 등이 중요한 정보에 포함됩니다.
- 명확성: 기업은 전문 용어나 지나치게 복잡한 재무 지표를 피하고 명확하고 간결한 방식으로 정보를 제시해야 합니다. 또한 맥락을 설명하고 공유하는 정보의 중요성에 대해 설명해야 합니다.
- 신속한 대응: 기업은 주주의 질문과 피드백에 개방적이어야 하며, 적시에 전문적인 방식으로 응답해야 합니다. 이는 회사와 주주 간의 참여와 이해를 증진하는 데 기여합니다.

전반적으로 주주와의 원활한 커뮤니케이션을 위해서는 개방적이고 투명하며 접근이 용이해야 하며, 관련성 있고 명확하며 이해하기 쉬운 정보를 공유하는 데 중점을 두어야 합니다.

경영진의 변화 모니터링

기업 경영진의 변화는 아래와 같이 모니터링할 수 있습니다.

- 최신 기업 뉴스 접하기: 기업 웹사이트, 소셜 미디어 계정, 보도자료 등을 분석하고 경영진의 변화 내용을 파악합니다.
- 주주 총회 참석: 가능하면 회사의 연례 주주 총회에 참석해서 경영진의 의견을 직접 듣고 회사의 계획과 전략에 대해 질문할 수 있는 기회를 가집니다.
- 연례 보고서 읽기: 연례 보고서는 경영진에 대한 정보를 포함하여 회사의 성과에 대한 내용을 소개합니다. 이 문서를 주의 깊게 검토하여 경영진의 변화에 대한 최신 정보를 확인합니다.
- 주가 변화 모니터링: 경영진의 변화는 때때로 회사의 주가에 영향을 미칠 수 있으므로 주가의 변화를 모니터링합니다.
- 재무 전문가 조언 구하기: 경영진 변경의 영향에 대해 잘 모르겠다면 재무 전문가나 재정 고문에게 조언을 구합니다.
- 주주 위임장 투표에 참여: 회사는 경영진 변경과 같은 사안에 대해 주주 투표를 실시할 수 있습니다. 주주는 이러한 제안에 대해 투표할 권리가 있으며, 이 권리를 행사하여 자신의 목소리를 내는 것이 중요합니다.

경영진과 내부자들은 외부 투자자보다 더 많은 기업 정보를 가지고 있다. 외부 투자자는 이 불리함을 어떻게 만회할 수 있나?

CEO, 임원, 직원 등 회사 내부자는 공개되지 않은 정보에 접근할 수 있으며 외부 투자자보다 정보적 우위를 점할 수 있는 것이 사실입니다. 외부 투자자가 이러한 단점에 대처하면서도 합리적인 투자 결정을 내릴 수 있는 몇 가지 방법이 있습니다.

- **철저한 조사 및 분석** 외부 투자자는 회사의 재무제표, 업계 동향 및 기타 공개 정보에 대한 광범위한 조사 및 분석을 통해 회사의 펀더멘털과 성장 전망에 대해 이해할 수 있습니다. 이를 통해 강력한 성장 잠재력을 지녔으나 저평가된 기업을 식별할 수 있습니다.
- **내부자 거래 모니터링** 외부 투자자는 규제 서류에 공개되는 내부자 매매 활동을 모니터링할 수 있습니다. 내부자 매수는 긍정적인 신호로서, 내부자가 자신이 소속된 회사가 저평가되었다고 생각한다는 걸 나타냅니다. 반면, 내부자 매도는 부정적인 신호로서, 내부자가 회사의 성장 전망이 우려된다고 생각하고 있음을 나타냅니다.
- **우수한 경영진이 있는 기업에 투자** 우수한 경영진은 정보를 투명하고 솔직하게 공개할 가능성이 높으며, 사기나 비윤리적인 행동을 할 가능성이 낮습니다.
- **정량적 도구와 모델을 활용** 정량적 도구와 모델은 외부 투자자가 내부 정보가 없는 경우에도 저평가된 기업을 식별하고 성장 잠재력을 평가할 수 있습니다. 이러한 도구는 대량의 데이터를 분석하고 기존

의 펀더멘털 분석으로는 드러나지 않을 수 있는 패턴과 추세를 파악 할 수 있습니다.

워런 버핏은 회사를 통째로 인수하는 경우가 많은데 매수 전 회사의 경영진을 어떻게 평가하는가?

버핏은 우수한 경영진이 있는 회사에 투자하는 것을 강조하는 것으로 잘 알려져 있습니다. 그는 관심 있는 회사의 경영진을 평가할 때 일반적으로 몇 가지 자질을 중요시 여깁니다.

- **합리성과 성실성** 버핏은 정직하고 투명하며 정직한 경영진을 찾습니다. 그는 도덕과 윤리 의식이 강하고 높은 수준의 청렴성을 갖춘 사람을 찾습니다.
- **장기적 관점** 버핏은 단기적인 이익에만 집중하기보다는 회사의 장기적인 전망을 생각하는 관리자를 선호합니다. 그는 장기적인 관점이 지속 가능한 성장과 더 큰 주주 가치로 이어질 수 있다고 믿습니다.
- **자본 배분 기술** 버핏은 현명하게 자본을 배분하는 매니저의 능력을 매우 중요하게 생각합니다. 그는 자원 사용에 있어 규율이 있고 수익성 있는 투자 실적을 보유한 매니저를 찾습니다.
- **경쟁 우위** 버핏은 브랜드, 우수한 기술력, 네트워크 효과 등 강력한 경쟁 우위를 보유한 기업을 찾습니다. 그는 강력한 경쟁 우위가 기

업이 장기적으로 시장 지위를 유지하는 데 도움이 될 수 있다고 믿습니다.

- **오너십 마인드** 버핏은 오너십 마인드를 가진 경영자를 찾습니다. 이런 경영진은 장기적인 관점을 취하고, 수익을 비즈니스에 기꺼이 재투자하며, 불필요한 위험을 피합니다.

버핏은 매수 결정 전 경영진을 직접 만나 보는 경우가 매우 드문데, 어떻게 회사 경영진을 평가할 수 있는가?

실제로 워런 버핏이 투자 결정을 내리기 전에 회사 경영진을 만나는 경우는 드뭅니다. 대신 그는 다양한 정보 출처를 통해 회사 경영진의 자질을 평가합니다. 버핏이 주로 사용하는 정보 출처 중 하나는 회사의 연례 보고서와 공개적으로 활용 가능한 재무제표입니다. 그는 이러한 문서를 주의 깊게 읽으며 회사의 재무 성과는 물론 경영진의 실적과 비즈니스 접근 방식을 파악합니다.

회사의 과거 실적을 평가하고, 다양한 경제 국면에서 회사가 어떻게 관리되어 왔는지도 살핍니다. 그는 여러 경영진을 거치며 오랜 기간 성공을 거둔 기업은 강력한 문화와 유능한 경영진이 있다는 좋은 징조라고 믿습니다. 또한 회사 경영진의 리더십을 조명하는 뉴스 기사 및 기타 정보원도 활용합니다. 필요한 경우 버핏은 업계 전문가, 애널리스트 및 회사 경영진에 대해 잘 아는 전문가들에게 연락을 취합니다. 버핏은 기업과 해당 산업에 대해 깊이 이해하고 있는 사람들의 의견을 소중히 여깁니다.

이런 모든 정보 출처는 버핏이 회사의 경영진, 기업 문화, 장기적인 성공 가능성을 종합적으로 이해하는 데 도움이 됩니다. 버핏은 경영진과 직접 만나지는 않지만, 다른 여러 정보원들이 회사 리더십의 질에 대한 귀중한 통찰력을 제공할 수 있다고 믿습니다.

6장
밸류에이션

내재가치의 이해

가치투자의 목표는 내재가치보다 저평가된 주식을 발굴하고, 언젠가는 시장이 진정한 가치를 인정해 주가가 상승할 것이라는 기대감으로 그 주식을 매수하는 것입니다. 또한 시장 가격이 내재가치에 근접하거나 초과할 때 그 주식을 매도하여 이익을 거두는 것입니다. 이를 위해 가치투자자는 펀더멘털이 탄탄하고 경영진이 우수하며 지속적인 경쟁 우위를 지닌 기업을 찾으려고 합니다. 단순히 싸게 사서 비싸게 파는 것이 아니라 내재가치가 상승하는 좋은 기업을 합리적인 가격에서 사서 장기적으로 보유하는 것이 목표입니다.

내재가치는 재무적, 경제적 요인 등 기업의 펀더멘털을 기반으로 한 기업의 '공정 가치'를 말합니다. 기업의 내재가치를 계산할 수 있어야 '공정 가격'에 거래되고 있는지, '저평가' 또는 '고평가'되었는지 판단할 수 있으므로 가치투자자에게 내재가치 계산은 매우 중요합니다. 내재가치가 시장 가격보다 높으면 주식이 저평가된 것으로, 내재가치가 시장 가격보다 낮으면 주식이 고평가된 것으로 간주하며 이에 따라 투자자는 주식 매수 또는 매도를 고려합니다. 내재가치 계산은 기업의 진정한 가치와 성장 잠재력을 평가하여 가치투자자가 투자 리스크를 줄이고 합리적인 결정을 내리는 데 도움을 줍니다.

사실 어떤 주식의 내재가치를 '정확하게' 파악하는 것은 거의 불가능에 가깝습니다. 내재가치란 시장 가격과는 무관한, 주식의 '진정한 가치'를 의미하는 개념이기 때문입니다. 내재가치는 수익, 배당, 미래 성장 전망, 경제 전반의 상황 등 다양한 요소를 고려한 주관적인 추정치이며, 시간에 따라 수시로 변합니다.

내재가치는 주관적인 추정치이므로 개별 주식의 내재가치에 대한 애널리스트와 투자자의 의견은 저마다 다를 수밖에 없습니다. 따라서 내재가치는 하나의 정확한 수치로 표현하기보다는 특정한 범위로 표현하는 경우가 더 많습니다. 예를 들어 어떤 투자자는 가치 평가에 내재된 주관성과 불확실성을 반영하여 특정 주식의 내재가치를 30달러에서 50달러 사이라고 추정할 수 있습니다.

주식의 내재가치는 기업의 펀더멘털이 변화하면서 시간에 따라 달라질 수 있다는 점을 명심해야 합니다. 또한 정교하고 포괄적인 평가 방법을 사용하면 내재가치 추정치의 정확도를 높일 순 있지만, 이는 여전히 추정치일 뿐 확정된 가치는 아닙니다. 내재가치를 추정하는 방법으로는 다음과 같은 것들이 있습니다.

1. 현금흐름할인법DCF 분석: 할인된 수익률을 기준으로 기업의 미래 현금흐름의 현재 가치를 계산합니다.

2. 주가수익비율PER: PER는 회사의 현재 주가와 주당순이익EPS을 비교하기 위해 일반적으로 사용하는 가치 평가 지표입니다. PER가 낮은 주식은 수익 대비 저평가되어 있을 가능성이 있습니다. PER에서 파생된 PEG라는 지표도 있습니니다.
3. 주가순자산비율PBR: PBR는 기업의 시가총액과 장부 가치 또는 자산 가치에서 부채를 뺀 값을 비교한 것입니다. PBR가 낮으면 순자산에 비해 주식이 저평가되어 있을 가능성이 있습니다.
4. 배당할인모형DDM: 할인된 수익률을 기반으로 기업의 미래 배당금의 현재 가치를 계산하는 가치 평가 모형입니다.

다시 강조하지만, 내재가치는 주관적 추정치이며 성장 전망, 경제 상황, 재무 및 운영 성과 등 다양한 요인에 의해 영향받을 수 있고, 심지어 단기간에 크게 변할 수도 있다는 점을 명심해야 합니다. 따라서 기업의 내재가치를 추정할 때는 여러 가지 평가 지표를 고려하고 심층적인 조사를 수행하는 것이 좋습니다.

이제부터는 내재가치를 추정하는 여러 방법의 장단점을 살펴보겠습니다.

1. DCF(DCF 공식은 60쪽 참조)

현금흐름할인법DCF은 기업의 내재가치를 추정하는 유용한 도구로 간주되지만, 한계가 없는 것은 아닙니다. 이 분석의 장단점은 아래와 같습니다.

강점

1. 현금흐름에 중점을 둡니다: DCF는 미래현금흐름을 기반으로 기업의 가치를 평가하므로 수익이나 매출 같은 다른 지표보다 기업의 재무 성과를 더 직접적으로 표현합니다.
2. 돈의 시간 가치를 고려합니다: 미래현금흐름을 현재로 할인함으로써 DCF는 미래 시점에 받는 1달러의 가치가 현재 시점에 받는 1달러보다 낮다는 개념인 화폐의 시간 가치를 고려합니다.
3. 회사의 성장 잠재력을 반영합니다: DCF를 통해 내재가치를 분석하는 투자자는 미래현금흐름을 예측하고 다양한 성장 시나리오를 조정할 수 있으므로 기업의 성장 잠재력을 내재가치 계산에 통합할 수 있습니다.

약점

1. 정확한 예측에 의존합니다: DCF 가치 평가의 정확성은 미래현금흐름 예측의 품질과 정확성에 크게 좌우됩니다. 예측이 부정확하면 내재가치 계산에 상당한 오류가 발생할 수 있습니다.

기업의 미래현금흐름을 예상하는 일이 매우 어렵거나 불가능하다는 점이 DCF의 가장 치명적인 단점이다. 위에서 언급한 재무제표 분석, 기업의 비교우위, 경영진 평가 등을 정확히 해야 미래현금흐름을 추정할 수 있는데 이 작업을 진행하는 것이 현실적으로 매우 어렵기 때문이다. 챗GPT에게 DCF를 하기 좋은 기업과 그렇지 않은 기업에 대해 물어보았다.

DCF는 예측 가능하고 안정적인 현금흐름을 창출하는 기업의 내재가치를 추정하는 데 일반적으로 사용합니다. 이러한 기업은 일반적으로 오랜 운영 이력과 수익 및 현금흐름 창출의 역사가 있습니다. 예를 들어 유틸리티, 소비재, 제약 같은 산업에서 확고한 입지를 구축한 기업들이 그렇습니다.
현금흐름의 변동성이 크거나 예측할 수 없는 기업 또는 사업 초기 단계에 있고 운영 이력이 짧은 기업에는 DCF 분석이 적합하지 않습니다. 이러한 기업은 미래현금흐름 예측이 어렵고, 그 결과 DCF를 통해 산출한 내재가치 추정치의 신뢰성이 떨어지기 때문입니다. 예를 들어 스타트업, 고성장 기술 기업, 경쟁이 치열하거나 빠르게 변화하는 산업에 속한 기업 등이 그렇습니다.
이러한 경우에는 PER, PBR 등 다른 평가 방법이 더 적합할 수 있습니다. 또한 DCF 분석에 적합한 기업이라 하더라도 내재가치 추정치의 정확도는 분석에 사용된 현금흐름 예측의 정확도에 크게 좌우된다는 점을 명심해야 합니다.

2. 할인율에 민감합니다: 할인율 선택도 DCF 분석의 핵심 중 하나인데, 어떤 수치를 입력하느냐에 따라 내재가치 추정치에 상당한 영향을 미칠 수 있습니다.
3. 정량화할 수 없는 요소를 고려하지 않습니다: DCF는 재무제표에 초점을 맞추며 브랜드 가치, 고객 충성도, 지적 재산과 같이 기업 가치에 중대한 영향을 미칠 수 있는 비계량적 요소는 고려

하지 않습니다.

결론적으로 DCF는 기업의 내재가치를 추정하는 데 유용한 도구이기는 하지만, 다른 가치 평가 방법을 함께 사용하는 것을 추천합니다. 또한 DCF의 한계를 고려하는 것이 중요합니다.

2. PER(시가총액/순이익 또는 주가/주당순이익)

주가수익비율PER도 기업의 내재가치를 추정할 때 널리 사용하는 방법입니다. 주식의 현재 시장 가격(주가)을 주당순이익EPS로 나누어 주식이 수익에 비해 저평가 또는 고평가되었는지를 판단하는 간단하고 직접적인 방법입니다.

장점

1. 계산법이 간단합니다: PER는 계산이 간단하여 다양한 투자자가 쉽게 이용할 수 있습니다.
2. 널리 사용됩니다: 애널리스트와 투자자가 널리 사용하므로 여러 기업의 PER를 쉽게 비교할 수 있습니다.
3. 시장 심리를 반영합니다: PER는 기업에 대한 전반적인 시장 심리를 반영하며, 시장이 기업의 미래 전망을 어떻게 보는지 인사이트를 제공할 수 있습니다.

단점

1. 수익의 질을 정확히 알 수 없습니다: PER는 재무제표에 공개된

수익에 의존하기 때문에 기업의 실질적인 재무 성과를 정확히 반영하지 못할 수 있습니다. 그 결과 기업의 내재가치에 대한 왜곡된 시각을 초래할 수 있습니다.

2. 제한된 관점을 제공합니다: PER는 최근 수익만 고려하여 배당, 성장 전망, 경제 상황과 같은 다른 요소는 고려하지 않습니다. 따라서 기업의 내재가치에 대한 제한된 관점을 제공합니다.
3. 모든 기업에 적합하지 않습니다: PER는 수익의 변동성이 매우 크거나 성장 잠재력은 높지만 예측하기 어려운 산업에 속한 기업의 내재가치를 측정하는 데 적절한 지표가 아닐 수 있습니다.

PER 분석이 적합한 기업은 일반적으로 안정적이고 예측 가능한 현금흐름을 가지고 있으며 성장 잠재력이 상대적으로 낮은 성숙한 사업에 속해 있습니다. 예를 들어 유틸리티, 소비재, 제약 사업이 그렇습니다. 이러한 기업의 경우 투자자는 기업의 미래 수익 성장에 대한 시장의 기대치를 반영하여 내재가치를 추정하는 데 PER를 유용하게 사용할 수 있습니다.

PER 분석이 적합하지 않은 기업은 일반적으로 수익 변동성이 큰 고성장 산업 또는 운영 이력이 짧은 사업 초기 단계의 신생 기업입니다. 예를 들어 기술 스타트업, 신흥 산업의 고성장 기업, 경쟁이 치열하거나 급변하는 산업에 속한 기업 등이 그렇습니다. 이러한 기업의 경우 투자자는 수익을 예측하기 어렵고 향후 수익 성장에 대한 시장의 기대치를 측정하기 어려우므로 PER가 기업의 내재가치를 정확히 반영하지 못할 수 있습니다.

결국 DCF로 분석하기 쉬운 기업은 PER 분석에도 잘 맞는 기업이고, DCF로 분석하기 어려운 기업은 PER 분석에도 잘 맞지 않는 기업이다. PER 분석은 내재가치를 추정하는 데 유용하는 도구가 될 수 있지만, 한계가 없는 것은 아니다. 좀 더 포괄적이고 정확한 내재가치 추정을 위해서는 DCF 분석과 같은 다른 가치 평가 방법과 함께 PER 분석을 사용해야 한다.

PER로 어떻게 내재가치를 측정할 수 있는가? PER가 어느 정도면 너무 낮거나 너무 높다고 볼 수 있는가?

특정 기업의 PER가 해당 기업이 속한 업종 또는 전체 시장의 PER보다 높으면 시장이 해당 기업의 향후 수익 성장에 대한 높은 기대치를 반영하여 가격을 책정하고 있음을 알 수 있습니다. 반대로 PER가 낮으면 시장이 해당 기업의 향후 수익 성장에 대해 낙관적이지 않다는 것을 나타냅니다.

아하, PER는 시장이 이 기업에 가진 기대를 반영하는구나.

PER가 높은지 낮은지 판단하려면 해당 기업 및 해당 산업의 과거 평균 PER와 전체 시장의 PER를 비교하는 것이 유용할 수 있습니다. PER가 과거 평균 PER보다 현저히 높거나 낮다면 그 주식이 고평가 또는 저평가되었다는 의미일 수 있습니다. 또는 기업의 펀더멘털이 바꿔어서 PER의 변화에 충분한 근거가 생긴 것일 수도 있습니다.

PER를 동일 업종에 속한 유사 기업의 PER와 비교하는 것도 유용할 수 있습니다. PER가 업계 평균 또는 시장 평균보다 현저히 높거나 낮으면 시장이 이 기업을 유사 기업과 다르게 평가하고 있다는 것을 의미합니다.

결론적으로, PER를 사용하여 기업의 내재가치를 평가하려면 PER를 과거 평균, 산업 평균, 시장 평균의 PER와 비교해야 합니다. 기업의 PER가 이러한 평균보다 현저히 높거나 낮으면 고평가 또는 저평가되었다는 신호일 수 있습니다.

이 내용은 PBR에도 그대로 적용할 수 있다.

3. 주가수익성장률PEG(PER/ 순이익 성장률)

피터 린치가 발명한 PEGPrice-Earning/Growth ratio는 기업의 성장률을 고려하므로 PER보다 나은 지표로 간주되는 경우가 많습니다. PEG는 PER를 기업의 예상 수익 성장률로 나누어 계산합니다. PEG가 1보다 작으면 저평가, 1보다 크면 고평가되었다고 볼 수 있습니다. 그러나 PER와 마찬가지로 PEG는 완벽한 지표가 아니므로 다른 지표와 함께 사용하는 것을 추천합니다.

장점

1. 성장성을 고려합니다: PEG는 기업의 내재가치를 결정하는 주요 요소인 기업의 예상 수익 성장률을 고려합니다. 따라서 PER보다 포괄적인 가치 평가 방법입니다.
2. 이해하기 쉽습니다: PEG는 계산이 간단하고 이해하기 쉬워 투자자에게 인기가 높습니다.
3. 업종을 비교할 수 있습니다: PEG는 동종 산업 내 기업 가치를 비교하는 데 사용할 수 있습니다. 또한 각 기업의 향후 수익 성장에 대한 시장 기대치를 제공합니다.

단점

1. 추정치에 의존합니다: PEG의 정확도는 수익 및 수익 성장 추정치의 정확도에 따라 달라지며, 특히 고성장 기업이나 급변하는 산업에 속한 기업은 예측하기 어려울 수 있습니다.
2. 적용이 제한적입니다: PEG는 수익이 낮거나 마이너스인 기업 또는 수익 변동성이 큰 기업에는 적합하지 않을 수 있습니다.
3. 관점이 제한적입니다: PEG는 가격과 예상 수익 성장률이라는 두 가지 요소만 고려하며 재무 상태, 경쟁 우위와 같은 다른 중요한 요소는 고려하지 않습니다.

PEG는 일반적으로 성장 잠재력이 높은 기업의 내재가치를 추정하는 데 사용합니다. 또한 고성장 산업에 속한 기업이나 예상 수익 성장률이 높을 것으로 예상하는 기업을 분석할 때 적합합니다. 이러한 기업의 경우 PEG는 수익과 수익 성장에 대한 시장의 기대치를 반영하여 내재가치를 좀 더 정확하게 추정할 수 있습니다. PEG 비율이 낮을수록 그 주식은 예상 수익 성장률에 비해 상대적으로 저렴하다고 간주됩니다.

반면, 유틸리티 또는 소비재 기업과 같이 성장 잠재력이 낮은 기업은 PEG를 사용하기에 적합하지 않습니다. 이러한 기업의 경우 예상 수익 성장률이 상대적으로 낮으므로 PEG보다는 PER이 좀 더 적합한 가치 평가 방법일 수 있습니다.

PEG 분석을 통한 내재가치 추정치의 정확도는 계산에 사용된 수익 및 수익 성장률 추정치의 정확도에 따라 달라질 수 있다는 점을 유의해야 합니다.

오호, DCF와 PER로 내재가치를 추정하기 어려운 기업은 PEG로 추정하는 것이 좋을 수 있다는 훌륭한 인사이트! 이렇게 기업에 따라 PER 또는 PEG로 평가하는 것이 좋다는 생각은 처음 해보았다.

4. PBR(시가총액/순자산 또는 주가/주당순자산)

주가순자산비율PBR은 주식의 시장 가격을 주당 장부가로 나누어 계산합니다. PBR이 높으면 고평가, 낮으면 저평가일 가능성이 크다는 것을 의미합니다. 그러나 해당 기업의 장부가만 고려하며 수익, 성장 잠재력 등 내재가치에 영향을 줄 수 있는 기타 요소는 고려하지 않는다는 점에 유의해야 합니다. PBR 역시 다른 지표를 포함해 회사의 재무 상태 및 수익 전망에 대한 철저한 분석과 함께 사용해야 합니다.

장점

1. 계산하기 쉽습니다: PBR은 계산하기도 쉽고 이해하기도 쉬워 투자자에게 인기가 높습니다.
2. 순자산을 반영합니다: PBR은 기업의 순자산 가치를 반영하므로 시장 상황에 따라 수익이나 매출만 고려하는 방식에 비해 내재가치를 좀 더 정확하게 추정할 수 있습니다.
3. 과거 데이터를 사용할 수 있습니다: 기업의 장부 가치는 과거 데이터를 사용하여 계산할 수 있습니다. 이는 수익이나 매출 추정치에 의존하는 방식에 비해 내재가치를 좀 더 정확하게 추정할 수 있습니다.

단점

1. 관점이 제한적입니다: PBR은 기업의 장부 가치만 고려하므로 수익, 매출, 성장 잠재력, 리스크 등 다른 중요 요소는 고려하지 않습니다.
2. 산업별로 차이가 있습니다: 지적 재산이나 브랜드 가치와 같은 무형 자산이 기업 가치의 상당 부분을 차지하는 기업에는 PBR이 유용하지 않을 수 있습니다. 이러한 기업의 경우 PBR은 해당 기업의 내재가치를 상당히 저평가할 수 있습니다.
3. 장부 가치는 과거 데이터를 기반으로 합니다: PBR에 사용하는 장부 가치는 과거 데이터를 기반으로 하므로 회사 자산의 현재

가치를 정확하게 반영하지 못할 수 있습니다.

PBR로 어떻게 내재가치를 측정할 수 있는가? PBR이 어느 정도면 너무 높거나 너무 낮다고 볼 수 있는가? 이에 대한 답변은 위의 PER 관련 글상자를 참고하기 바란다. 답변이 거의 비슷했다.

PBR로 내재가치를 측정하는 데 적합한 기업은 다음과 같습니다.

1. 공장, 기계, 재고 물품 등 쉽게 가치를 평가할 수 있는 유형 자산을 많이 보유한 제조 기업.
2. 발전소, 파이프라인 등 물리적 자산을 많이 보유한 유틸리티 기업.
3. 은행, 보험사 등 자산의 상당 부분을 대출이나 투자 형태로 보유하고 있는 금융 기업.

반면에 다음과 같은 기업에는 PBR 분석이 적합하지 않을 수 있습니다.

1. 특허, 상표, 소프트웨어 등 무형 자산의 비중이 높은 기술 기업.
2. 기업 가치의 상당 부분이 연구 개발이나 신약 파이프라인에 묶여 있는 생명공학 또는 제약 기업.
3. 부채 수준이 높은 기업. 부채 비율이 높아 회사 자산의 실제 가

치를 정확하게 알기 어려운 기업.

3번은 무슨 말인지 이해하지 못했다. 이제 내 이해 수준을 넘어서는 답변을 하네.

5. 배당할인모형

$$주식의\ 가치 = \sum_{n=1}^{\infty} \frac{배당금}{(1+\ 할인율)^n}$$

배당할인모형DDM: Dividend Discount Model은 회사의 주가가 예상 미래 배당금의 현재 가치와 동일하다는 전제를 바탕으로 합니다. DDM은 예상 미래 배당금을 할인율로 나누어 주식의 가치를 계산합니다. 이때 할인율은 자본 비용과 화폐의 시간 가치를 고려한 것입니다.

DDM은 특히 배당금을 지급한 이력이 있고 앞으로도 계속 지급할 것으로 예상하는 기업의 가치를 평가할 때 유용합니다. 다만 이는 해당 기업이 계속해서 비슷한 비율로 배당금을 지급할 것이라고 가정한 결과일 뿐, 회사의 수익, 미래 성장 전망 등 내재가치에 영향을 미칠 수 있는 기타 요소는 고려하지 않은 것입니다.

장점

1. 간단하고 직관적입니다: DDM은 간단하고 직관적인 모형으로 이해하기 쉽습니다.

2. 미래현금흐름을 고려합니다: 미래 배당금에 초점을 맞춘 DDM은 투자자가 기업으로부터 받게 될 미래현금흐름을 고려합니다.
3. 화폐의 시간 가치를 고려합니다: DDM은 화폐의 시간 가치와 미래현금흐름과 관련된 리스크를 고려하여 미래 배당을 현재 가치로 다시 할인합니다.

단점

1. 배당 증가율이 일정하다고 가정합니다: DDM은 배당 증가율이 일정할 것이라고 가정하므로 기업의 재무 성과를 정확하게 반영하지 못할 수 있습니다.
2. 배당이 아닌 현금흐름을 무시합니다: DDM은 배당금만 고려할 뿐 자사주 매입이나 사업 재투자와 같은 다른 형태의 현금흐름은 무시합니다.
3. 적용이 제한적입니다: DDM은 배당을 지급하는 기업에 적합하며, 배당을 지급하지 않거나 배당의 변동 이력이 있는 기업에는 적합하지 않을 수 있습니다.
4. 입력 데이터에 의존합니다: DDM의 정확도는 할인율과 예상 배당 증가율 등 입력 데이터에 따라 달라집니다. 이들 데이터는 확실하게 예측하기 어려울 수 있습니다.

DDM에 적합한 기업은 다음과 같습니다.

1. 전기, 가스, 수도 등 안정적인 현금흐름과 배당지급 역사가 있는

유틸리티 기업.

2. 예측 가능 제품 수요와 배당 지급 이력이 있는 필수 소비재 기업.
3. 예측 가능한 제품 수요와 배당 지급 이력이 있는 헬스케어 기업.

반면에 다음과 같은 기업에는 DDM이 적합하지 않을 수 있습니다.

1. 배당을 지급하지 않고 수익을 연구 개발 또는 성장 기회에 재투자하는 기술 기업.
2. 스타트업 또는 개발 초기 단계에 있는 성장 지향적인 기업.
3. 경제 상황에 따라 배당을 중단하거나 삭감하는 등 배당 정책의 변동성이 큰 기업.

DDM은 DCF와 매우 유사한 기법이라고 생각하면 무난하다.

내재가치는 다양한 정성적, 정량적 요인을 고려하여 기업의 미래 재무 성과를 주관적으로 추정하는 것이므로 정확히 측정하기가 어렵습니다. 기업의 내재가치는 결코 정확히 알 수 없으며 새로운 정보가 입수될 때마다 계속해서 바뀔 수 있습니다. 요컨대 내재가치는 이론적 모형일 뿐이며, 동일한 접근법을 사용하더라도 각 투자자가 추정하는 내재가치는 크게 다를 수 있다는 점에 유의해야 합니다.

내재가치 계산이 상대적으로 쉬운 기업과 어려운 기업은?

내재가치 계산은 해당 기업과 관련 정보에 따라 쉬울 수도 있고 어려울 수도 있습니다. 일반적으로 확실한 비즈니스 모델, 안정적인 재무제표, 예측 가능한 미래 전망을 가진 기업은 가치 평가가 좀 더 쉬운 경향이 있습니다. 반면에 급변하는 산업에서 활동하거나, 재무 구조가 복잡하거나, 사업 초기 단계에 있는 기업은 가치 평가가 어려울 수 있습니다. 내재가치 계산이 비교적 쉬운 기업은 다음과 같습니다.

1. 유틸리티 기업: 일반적으로 유틸리티 기업은 안정적이고 예측 가능한 현금흐름을 가지고 있으며, 배당금을 통해 투자자에게 안정적인 수입을 제공합니다. 이러한 기업은 수익 또는 현금흐름을 기반으로 가치를 평가하는 경우가 많으므로 내재가치 계산이 비교적 간단합니다.
2. 필수 소비재 기업: 식음료와 같은 생활필수품을 생산하는 기업은 안정적이고 예측 가능한 수요가 있으므로 좀 더 쉽게 가치를 평가할 수 있습니다.
3. 헬스케어 기업: 헬스케어 기업 역시 안정적이고 예측 가능한 수요가 있으므로 좀 더 쉽게 가치를 평가할 수 있습니다.

챗GPT가 보기에 가치투자를 하기 쉬운 섹터는 유틸리티, 필수 소비재, 헬스케어 기업이다. 유틸리티는 잘 모르겠지만, 워런 버핏이 필수

소비재와 헬스케어 기업에 투자를 한 이유를 일 수 있다.

내재가치 계산이 상대적으로 어려운 기업은 아래와 같습니다.

1. 기술 기업: 기술 기업은 급변하는 환경에서 사업을 수행해야 하는 경우가 많으므로 미래 수익과 현금흐름을 예측하기가 어려울 수 있습니다. 또한 일부 기술 기업은 재무 구조가 복잡하여 내재가치 계산이 어려울 수 있습니다.
2. 성장 지향적 기업: 스타트업이나 벤처 캐피탈의 투자를 받는 기업처럼 개발 초기 단계에 있거나 성장에 중점을 두는 기업은 미래 성과가 불확실하므로 가치 평가가 어려울 수 있습니다.
3. 배당 정책이 크게 바뀌는 기업: DDM 같은 가치 평가 방법에서는 일정한 배당 성장률을 가정하기 때문에 경제 상황에 따라 배당을 중단하거나 삭감하는 기업은 가치 평가가 어려울 수 있습니다.

그래서 버핏이 기술 기업이나 신생기업에 대한 투자를 꺼린 것 같다. 그러나 21세기에 버핏은 애플 등 기술 기업에 투자하면서 70세가 넘은 나이에도 진화할 수 있다는 가능성을 보여 주었다.

안전마진의 중요성

기업의 내재가치는 수익, 자산, 현금흐름 등의 요소를 기반으로 추정합니다. 그러나 미래는 불확실하고 기업의 미래 성과는 확실하게 예측할 수 없으므로 이러한 추정치에는 오류가 있을 수 있습니다.

안전마진은 내재가치 추정치와 기업의 시장 가격 간의 차이를 나타냅니다. 투자자는 내재가치 추정치보다 낮은 가격으로 기업을 매수함으로써 내재가치 추정치의 잠재적 오류에 완충 역할을 하는 안전마진을 확보하는 것입니다. 예를 들어, 내재가치 추정치가 100달러이고 시장 가격이 80달러라면 투자자는 20%의 안전마진을 갖습니다. 다시 말해 내재가치 추정치가 부정확하더라도 투자자는 잠재적 손실을 방지할 수 있는 20%의 여유가 있다는 뜻입니다.

안전마진은 크면 클수록 좋다. 예컨대 100달러 가치가 있는 주식을 80달러에 사는 것도 좋지만 30달러에 사서 70%의 안전마진을 확보한다면 더욱 좋을 것이다.

가치투자의 핵심은 1) 위에서 설명한 방법(DCF, PER, PEG, PBR, DDM 등)을 통해 내재가치 계산이 가능한 기업들을 찾은 후(어떤 방법을 사용해도 내재가치 계산이 어려운 기업도 매우 많다), 2) 그 기업들의 내재가치를 추정하고, 3) 그중 안전마진이 가장 큰 기업을 매수하는 것이다.

안전마진은 투자자의 손실 위험을 줄이는 데 도움을 주므로 가치투자에서 매우 중요한 개념입니다. 안전마진을 통해 가치투자자는 저평가되어 있고 시간이 지날수록 가치가 상승할 가능성이 높다고 판단되는 기업을 매수할 수 있습니다. 이러한 절제된 투자 접근법은 시장 변동성의 영향을 최소화하고 전반적인 투자 성과를 개선하는 데 도움을 줍니다.

정말 오랜 길을 걸어왔다. 정리하면 1) PER, PBR, 배당 수익률 등의 지표를 활용해서 잠재적인 투자 대상을 고른 후, 2) 기업의 재무 성과와, 3) 경쟁력 및 비교우위를 분석하고, 4) 경영진을 평가하고, 5) 위의 5가지 방법을 사용해 내재가치를 추정한 후, 6) 충분한 안전마진이 있어야만 투자를 할 수 있는 것이다! 이처럼 가치투자는 정말 어려운 일이다. 나는 그냥 퀀트 투자를 하는 쪽을 택하겠다. 그러나 챗GPT 덕분에 가치투자의 과정에 대해서 자세히 배웠다. 그런데 아직 끝나지 않았다.

7장

포트폴리오 다각화

기업의 재무 성과, 경쟁력 및 비교우위, 경영진 등을 아무리 잘 분석해도 미래는 알 수 없으므로 전 재산을 한 종목에 투자하는 것은 매우 위험하다. 시간이 흐르면서 기업의 재무가 악화되고 비교우위를 잃고 경영진이 멍청한 행동을 할 수도 있는 것 아닌가. 따라서 훌륭하고 저평가된 기업을 여러 개 찾아야 한다. 몇 개가 좋을까?

가치투자 포트폴리오에 분산 투자하는 최적의 종목 수는 투자자의 위험 감수성, 투자 목표, 시장 상황 등 여러 요인에 따라 달라질 수 있습니다. 하지만 일반적인 가이드라인은 다음과 같습니다.

1. 최소 10~20개 종목을 보유합니다: 많은 전문가들은 적절한 분산 효과를 얻고 전반적인 위험을 줄이기 위해 최소 10~20개 종목을 포트폴리오에 포함할 것을 권장합니다.

2. 종목 수가 많을수록 추가적인 분산 효과를 얻을 수 있습니다: 종목 수가 많을수록 개별 주식의 성과가 포트폴리오에 미치는 영향을 줄일 수 있습니다. 30~50개 이상의 종목을 보유할 것을 권장하는 전문가도 있습니다.
3. 투자 예산을 고려합니다: 포트폴리오에 보유할 수 있는 종목 수는 투자 예산과 각 종목의 매수 비용에 따라 달라집니다.
4. 관리 능력을 고려합니다: 더 많은 종목에 분산 투자하면 위험은 줄일 수 있지만, 포트폴리오가 너무 방대해져 관리하기가 어려워질 수도 있습니다.

2번과 4번 내용이 다소 모순적인데, 챗GPT는 10~20개 종목에 분산 투자하는 것을 추천하는 것처럼 보인다. 그렇다면 분산 투자는 구체적으로 어떻게 하는 게 좋을까?

분산 투자는 장기적으로 위험을 줄이고 수익을 개선하는 데 도움을 주므로 성공적인 투자의 중요한 요소입니다. 가치투자자가 포트폴리오를 다각화하는 방법은 다음과 같습니다.

1. 업종별 분산 투자: 한 업종에 노출되는 위험을 줄이려면 다양한 업종에 투자하십시오. 이렇게 하면 포트폴리오가 특정 업종의 성과에 지나치게 영향받는 것을 피할 수 있습니다.
2. 지역별 분산 투자: 한 국가 또는 한 지역의 경제 상황에 노출되

는 위험을 줄이려면 다양한 국가 또는 다양한 지역의 기업에 투자하십시오.

3. 시가총액 분산 투자: 대형주, 중형주, 소형주 등 시가총액이 다른 다양한 기업에 투자하는 것을 고려하십시오.
4. 다양한 자산군 고려: 주식, 채권, 부동산, 원자재와 같은 다양한 다산군에 투자하여 포트폴리오가 한 자산군에 지나치게 노출되는 위험을 줄이십시오.
5. 다양한 투자 스타일 고려: 가치주, 성장주, 배당주 등 다양한 주식에 혼합 투자하는 것을 고려하십시오.

업종별, 지역별, 시가총액 분산 투자보다는 다양한 자산군에 투자하는 '자산 배분 전략'이 포트폴리오의 위험 및 MDD를 줄이는 데 가장 크게 기여한다. 자산 배분 전략에 대한 자세한 내용은 《거인의 포트폴리오》를 참고하라.

버핏과 멍거는 한때 몇 개의 주식에 집중된 포트폴리오에 투자하면서도 어떻게 큰 성공을 이룰 수 있었는가?

분산투자는 투자에 있어 중요한 원칙이지만, 집중된 포트폴리오가 성공할 수 있는 경우도 있습니다. 워런 버핏과 찰리 멍거는 몇 개의 주요 종목이 포트폴리오의 상당 부분을 차지하는 집중형 포트폴리오로 유명합니다. 그들의 성공은 다른 투자자와 차별화되는 여러 가지 요인에 기인할 수 있습니다.

1. 버핏과 멍거는 일관된 투자 철학과 원칙을 따르는 절제력이 높은 투자자입니다. 두 투자자는 인내심을 갖고 체계적으로 접근하며, 우량 기업을 매력적인 가격에 매수하는 데 집중합니다. 즉, 단기적인 시장 변동이나 트렌드에 흔들리지 않고 장기적으로 투자를 유지하려는 의지가 강합니다.
2. 버핏과 멍거는 투자 대상 기업을 깊이 이해하고 있으며, 투자하기 전에 광범위한 조사와 분석을 수행합니다. 이들은 펀더멘털이 탄탄하고 장기적인 성장 잠재력을 갖춘 저평가된 기업을 식별할 수 있으며, 각 투자와 관련된 위험과 기회를 예리하게 감지합니다.
3. 버핏과 멍거는 더 이상 저평가되어 있지 않다고 판단되거나 다른 곳에서 더 나은 기회를 발견하면 주식을 매도하는 것을 두려워하지 않습니다. 또한 리스크 관리에 중점을 두며, 각 투자와 관련된 리스크를 깊이 이해하고 있습니다.

요약하면, 분산투자는 투자에 있어 중요한 원칙이지만, 버핏이나 멍거와 같이 투자 대상 기업에 대한 깊은 이해와 일관된 투자 접근 방식을 가진 훈련된 투자자가 집중된 포트폴리오를 관리할 때 성공할 수 있는 경우도 있습니다.
그러나 대부분의 개인 투자자에게는 일반적으로 집중된 포트폴리오보다 분산된 포트폴리오를 권장합니다. 분산된 포트폴리오는 다양한 자산군, 산업 및 지역에 분산 투자하여 변동성을 완화하고 개별 기업 또는 산업별 위험의 영향을 최소화하여 위험을 줄이는 데 기여합니다.

개인 투자자는 버핏이나 멍거와 같은 전문 투자자와 같은 수준의 리서치 및 분석을 수행할 시간, 리소스 또는 전문 지식이 부족하다는 사실도 고려해야 합니다. 또한 분산투자는 투자자가 다양한 자산군과 섹터에서 수익을 얻을 수 있는 기회를 제공하므로 보다 균형 잡히고 안정적인 장기 투자 전략을 달성하는 데 기여합니다.

8장

투자 결정

다양한 산업, 국가, 지역 등에서 다양한 가치주를 발굴하고 어떻게 자산 배분을 할지도 결정했다면 이제 투자를 해도 좋다! 챗GPT는 "가치투자는 장기적인 투자 전략이므로 몇 년 동안 투자를 유지할 준비가 되어 있어야 합니다"라는 의미심장한 말을 남겼다. 물론 매수 버튼을 눌렀다고 투자가 끝난 것은 아니다. 이제 시작일 뿐이다.

9장

모니터링

투자를 한 후에도 수시로 해당 기업의 실적이 양호한지, 경영진과 주주의 관심사가 일치하는지 등을 모니터할 필요가 있습니다. 다음은 모니터링을 할 때 고려해야 할 몇 가지 주요 요소입니다.

- 재무 성과: 수익, 현금흐름 등 포트폴리오에 포함된 기업의 재무 성과를 정기적으로 검토하십시오. 실적의 추세와 변화를 살펴보고 동종업체와 비교하십시오.
- 경영진 및 지배구조: 기업의 경영진과 지배구조를 주시하십시오. 경영진과 이사회의 행동을 평가하여 주주의 이익을 위해 일하고 있는지 확인하십시오.
- 업계 동향: 기업에 영향을 미칠 수 있는 업계 동향을 살펴보십시오. 경쟁 상황, 규제 변화, 기술 발전과 같은 요인을 고려하십시오.
- 경제 상황: 기업에 영향을 미칠 수 있는 거시경제 상황을 주시하십시오.

- 밸류에이션: 기업의 밸류에이션을 정기적으로 평가하여 여전히 저평가되어 있는지, 내재가치에 도달했거나 내재가치를 넘어섰는지 확인하십시오.

가치투자자도 거시경제 상황을 분석해야 하는가?

가치투자자도 거시경제 요인을 고려해야 합니다. 가치투자는 주로 개별 기업 분석에 중점을 두지만, 거시경제 요인은 전체 시장과 개별 기업에 큰 영향을 미칠 수 있습니다. 예를 들어 금리, 인플레이션, 경제 성장률 등의 변화는 기업의 수익, 재무 안전성, 전반적인 시장 심리 등에 영향을 미칠 수 있습니다.

기업의 재무 건전성과 미래 성장 전망을 더 잘 평가하려면 기업이 운영되는 경제 환경을 폭넓게 이해하는 것이 중요합니다. 또한 거시경제 동향에 따라 유리하거나 불리한 영향을 받는 산업이나 기업을 파악하면 좀 더 현명한 결정을 내리는 데 도움을 받을 수 있습니다.

그러나 거시경제 요인은 예측하기 어려운 경우가 많으므로 투자를 결정하는 유일한 근거가 되어서는 안 됩니다. 가치투자의 성공에 큰 영향을 미칠 수 있는 거시경제 요인은 다음과 같습니다.

- 금리 금리의 변화는 기업의 차입 비용, 소비자 지출, 투자 결정 등의 변화로 이어져 주식 시장에 영향을 미칠 수 있습니다.
- 경제 성장 경제가 성장하면 소비자와 기업의 지출 증가, 상품과 서비스의 수요 증가로 이어져 기업의 성장에 도움을 줄 수 있습니다.

- 인플레이션 인플레이션이 높으면 소비자의 구매력을 약화시키고, 기업의 비용 구조에 영향을 미쳐 주가에 부정적인 영향을 미칠 수 있습니다.
- 소비자 지출 소비자 지출은 경제 성장의 주요 동인으로, 상품 및 서비스 수요에 영향을 미칠 수 있습니다.
- 정부 정책 세법, 규제, 통화 정책과 같은 정부 정책의 변화는 경제 전반과 개별 기업에 큰 영향을 미칠 수 있습니다.
- 글로벌 이벤트 자연재해, 무역 전쟁, 정치적 혼란과 같은 글로벌 이벤트는 시장 심리와 기업의 재무 성과에 영향을 미칠 수 있습니다.

이는 가치투자에 영향을 줄 수 있는 거시경제 요인 중 몇 가지 사례에 불과합니다. 거시경제 요인은 시장과 개별 종목, 나아가 투자 포트폴리오에 큰 영향을 미칠 수 있으므로 이를 인지하고 모니터링하는 것이 중요합니다.

10장

투자 이후: 리스크 관리, 매도, 리밸런싱

내가 주식을 산 기업이 만족할 만한 행보를 보일 수도 있겠지만 그렇지 않은 경우도 매우 많을 것이다. 이런 경우에 리스크 관리를 어떻게 하는지, 주식은 언제 파는지, 리밸런싱은 어떻게 하는지 알아보자.

리스크 관리

경제 상황, 시장 심리, 기타 요인에 따라 주식 시장이 변하므로 가치투자자도 포트폴리오의 변동성은 피할 수 없습니다. 그러나 가치주는 성장주보다 안정적이고 베타Beta가 낮은 경향이 있으므로 가치투자자가 예상하는 변동성은 다른 투자 스타일에 비해 낮은 편입니다. 베타는 전체 시장 대비 주식의 변동성을 나타내는 지표로, 베타가 1이면 주식 가격이 시장과 일치하여 움직인다는 의미이고 베타가 1보다 작으면 시장보다 변동성이 작다는 의미입니다.

가치투자는 다른 투자 스타일에 비해 변동성이 낮을 수 있지만 여전히 주가 변동의 위험이 있으므로 투자 결정을 내리기 전에 항상 기업을 직접 조사하고 분석해야 합니다. 또한 기업 분석에는 늘 위험이 수반되며 어느 것도 성공을 보장할 수 없습니다. 가치투자의 일반적인 위험 요인은 다음과 같습니다.

- 가치 함정: 저평가된 것처럼 보이지만 실제로는 펀더멘털이 영구적으로 하락하여 회복되지 않는 주식을 매수하는 경우 '가치 함정에 빠졌다'라고 합니다.
- 회사별 위험: 부실 경영, 산업 쇠퇴, 예기치 못한 사건 등 특정 기업과 관련된 위험이 발생할 수 있습니다.
- 경제적 위험: 전 세계적 또는 특정 국가의 경제 악화는 주식 시장 및 개별 종목에 부정적인 영향을 미칠 수 있습니다.
- 금리 위험: 금리 상승은 채권 수익률의 상승, 즉 채권 투자의 매력도를 높이기 때문에 주가 하락으로 이어질 수 있습니다.
- 기회비용: 가치투자에 집중하면 잠재 수익률이 높은 성장주에 투자할 기회를 놓칠 수도 있습니다.
- 장기 보유 리스크: 가치주는 가치가 상승하는 데 오랜 시간이 걸리므로 주식이 내재가치에 도달하기 전에 투자자가 매도해야 하는 상황이 발생할 경우 손실을 실현할 수밖에 없습니다.

가치 함정에 빠지지 않으려면 어떻게 해야 하는가?

1. 철저한 조사를 수행해야 합니다: 재무 상태, 성장 전망, 업계 동향,

잠재 위험 등을 명확히 이해하는 것이 중요합니다.

2. 재무제표만 보면 안 됩니다: PER, PBR, 배당 수익률과 같은 재무 제표는 유용하지만 투자 결정을 내리는 데는 충분하지 않습니다. 경쟁 우위, 고객 기반, 브랜드 가치, 경영진의 자질, 성장 잠재력 등을 살펴봐야 합니다.
3. 과거 실적에 지나치게 의존하지 마십시오: 과거의 실적이 좋았다고 해서 미래의 성공이 보장되는 것은 아닙니다. 경쟁 우위, 고객 충성도, 우수한 경영 등 지속 가능한 성장의 증거를 찾아야 합니다.
4. 영구적인 손실 가능성을 고려하십시오: 회사의 비즈니스 모델이 더 이상 유효하지 않거나, 극복할 수 없는 큰 역풍을 만났을 때 발생할 수 있는 영구적인 자본 손실 가능성을 고려하십시오.
5. 포트폴리오를 다각화하십시오: 가치주를 포함한 다양한 종목에 투자하면 전체 포트폴리오의 위험을 줄이는 데 도움을 줍니다.

가치 함정으로 판명된 주식을 매수한 경우 고려할 수 있는 방안은 다음과 같습니다.

1. 보유: 기업의 펀더멘털이 여전히 견고하고 일시적으로 저평가되었다고 판단된다면 시장에서 진정한 가치를 인정받을 때까지 주식을 계속 보유할 수 있습니다.
2. 매도: 회사의 전망이 영구적으로 하락한 경우에는 주식을 매도하고 손실을 감수해야 합니다.

3. 물타기: 회사의 전망은 여전히 좋은데 일시적으로 주가가 하락했다고 생각한다면 더 낮은 가격에 더 많은 주식을 매수하는 이른바 물타기를 시도할 수 있습니다. 이렇게 하면 평균 매수단가를 낮추어 주가가 회복하는 경우 잠재 수익률을 높일 수 있습니다.

실전에서는 '회사의 펀더멘털이 여전히 견고하고 일시적으로 주가가 하락했다'라는 판단이 착각이나 망상일 가능성이 꽤 높다. 그렇게 견고한 주식의 주가가 왜 저 모양인가? 나는 '매도'를 추천한다.

가치투자자를 위한 리스크 관리 전략은 다음과 같습니다.

1. 분산 투자: 분산 투자는 개별 주식이나 시장 상황의 영향을 줄이는 핵심적인 위험 관리 전략입니다. 전반적인 위험 노출을 줄이려면 다양한 산업, 국가, 지역, 자산군에 분산 투자하십시오.

앞에서 밝혔듯이 다른 '자산군'에 투자하는 것이 가장 효과가 좋다.

2. 철저한 기업 분석: 펀더멘털이 좋은 저평가 주식을 식별하는 데 도움을 줍니다. 기업의 재무 성과를 상세히 조사하면 합리적인 투자 결정을 내릴 수 있고 재무 건전성이 좋지 않은 기업에 투자

하는 위험을 피할 수 있습니다.

3. 장기적인 관점: 가치투자는 장기적인 투자 전략이므로 투자자는 몇 년 이상 투자금을 보유할 준비가 되어 있어야 합니다. 이처럼 장기적인 관점을 유지하면 단기적인 시장 변동의 충격을 줄이고 기업의 펀더멘털을 이해하는 데 도움을 줍니다.
4. 개별 포지션의 규모 제한: 개별 기업이나 업종에 너무 많이 투자하지 마십시오. 이렇게 투자 규모를 제한하면 개별 기업이나 업종이 전체 포트폴리오에 미치는 영향을 줄일 수 있습니다.
5. 포트폴리오 정기 모니터링: 투자 성과를 정기적으로 모니터하고 회사에 영향을 미칠 수 있는 관련 뉴스나 최신 동향을 파악하십시오. 이렇게 하면 잠재적인 문제를 조기에 파악하고 필요한 경우 포트폴리오를 조정할 수 있습니다.
6. 시장 변동성 대비: 주식 시장이 변동성이 크며 가치주는 시장 변화에 민감할 수 있습니다. 시장 변동에 대비하고 시장이 하락하더라도 기꺼이 투자금을 보유할 수 있어야 합니다.

투자에서 리스크는 완전히 제거할 수 없으며, 가치투자도 예외가 아니라는 점을 명심해야 합니다. 하지만 가치투자는 신중하게 리스크를 관리함으로써 위험 노출을 최소화하고 장기적으로 성공 가능성을 높일 수 있습니다.

가치투자의 리스크 관리는 단기 트레이더의 리스크 관리와 많이 다른 것 같다.

그래서 아래와 같이 질문했다.

가치투자자와 단기 트레이더의 리스크 관리는 어떻게 다른가?

가치투자자와 단기 트레이더의 리스크 관리 전략은 상당히 다를 수 있는데, 이는 두 유형의 투자자가 고려하는 투자 목표와 투자 기간에 차이가 있기 때문입니다.

가치투자자는 장기 투자에 초점을 맞추며 펀더멘털이 탄탄하고 저평가된 주식에 투자합니다. 이들은 상대적으로 절제된 투자 방식을 고수하며 일반적으로 몇 년 동안 투자금을 보유할 준비가 되어 있습니다. 따라서 가치투자자의 리스크 관리는 포트폴리오 다각화, 철저한 리서치, 장기적인 관점 등이 필요합니다.

반면 단기 트레이더는 단기적인 시장 변동을 이용해 빠른 수익을 창출하는 데 집중합니다. 이들은 주식 매매를 자주 하고 상대적으로 짧은 기간 동안 투자금을 보유합니다. 따라서 단기 트레이더의 리스크 관리는 신중한 포지션 조정, 엄격한 손절 주문, 시장 동향 또는 뉴스 이벤트의 면밀한 모니터링 등이 필요합니다.

일반적으로 단기 트레이더는 빠른 매매 속도와 짧은 투자 기간 때문에 가치투자자보다 위험에 직면할 가능성이 높습니다. 단기 트레이더는 작은 실수에도 큰 손실이 발생할 수 있으므로 리스크 관리 전략에 더욱 적극적으로 임해야 합니다. 반면에 가치투자자는 장기 투자로 인해 리스크가 적고 펀더멘털이 탄탄한 저평가 종목에 집중할 가능성이 높습니다. 그러나 가치투자자 역시 리스크를 완전히 피할 수는 없으므로 신중한 리스크 관리 전략을 세우는 것이 중요합니다.

반대 아닌가? 트레이더는 시장 변화에 빠르게 대응할 수 있고 따라서 보통 하락장 초기에 시장을 떠날 수 있는 반면, 가치투자자는 주식을 장기 보유한 결과 하락장에서 동반 하락해 좀 더 큰 리스크를 감당해야 할 것 같은데. 이렇게 강환국과 챗GPT의 의견이 불일치하는 사례도 있다.

매도

워런 버핏도 매수한 모든 주식을 영원히 보유하는 것은 아니다. 언제 기업을 매도해야 하는가?

가치투자자의 주식 매도 결정은 회사의 실적 변화, 시장 상황, 투자자의 목표, 위험 허용 범위 등 여러 가지 요인에 따라 달라질 수 있습니다. 다음은 매도 여부를 결정할 때 고려해야 할 몇 가지 일반적인 지침입니다.

1. 재무 실적의 변화

가치투자자는 회사의 재무 실적이 현저히 악화하고 가까운 시일 내에 회복할 가능성이 작다고 판단한다면 해당 회사의 주식을 매도하는 것을 고려해야 합니다. '현저한 악화'를 평가하는 기준은 회사가 속한 업종, 현재 재무 상태, 예상 투자 기간 등 다양한 요인에 따라 달라집니다.

예를 들어 회사의 매출과 수익이 함께 감소하고 있다면 비즈니스 모델이 더는 지속 가능하지 않다는 위험 신호일 수 있습니다. 반면에 회사가 일시적인 침체를 겪고 있을 뿐 재무제표가 탄탄하다면 주식을 보유하면서 회복을 기다리는 것이 현명한 판단일 수 있습니다.

포트폴리오에 포함된 기업의 재무 성과를 정기적으로 평가하고, 미래 성장과 수익성 전망이 악화되는 증거가 발견되면 최대한 빨리 매도해야 합니다. 이를 위해서는 재무제표를 상세히 분석하고 기업 실적에 영향을 미치는 거시경제 및 산업 동향에 대한 충분한 이해가 필요합니다.

2. 회사 전망의 변화

가치투자자는 회사의 미래 성장과 수익성에 심각한 위기가 닥칠 수 있는 중대한 변화가 발생할 경우 주식 매도를 고려해야 합니다. 투자 논리를 재검토할 수 있는 몇 가지 변화는 다음과 같습니다.

- 산업 환경의 변화: 회사가 속한 산업이 상당한 역풍을 맞거나 소비자 행동의 변화를 겪고 있다면 회사의 미래 성장 전망에 영향

을 미칠 수 있습니다.

- 경영 초점 또는 전략의 변화: 경영진 또는 회사 전략의 변화는 회사가 더 이상 주주를 위한 가치 창출에 전념하지 않는다는 신호일 수 있습니다.
- 경쟁 심화: 경쟁업체가 시장에 새로 진입하거나 시장 점유율을 높인다면 회사의 수익성과 성장 전망에 타격을 줄 수 있습니다.
- 규제 변화: 새로운 법률이 시행되거나 정부의 조사가 강화된다면 회사의 운영 능력에 악영향을 미칠 수 있습니다.
- 시장 상황의 변화: 경기 침체 등 시장 상황의 변화는 회사의 재무 성과와 미래 전망에 영향을 미칠 수 있습니다.

결론적으로 주식 매도는 회사의 재무 성과에 대한 상세한 분석과 거시경제 및 산업 동향에 대한 신중한 평가를 기반으로 이루어져야 합니다. 가치투자자는 항상 경계를 늦추지 않아야 하며 회사의 미래 성장과 수익성에 심각한 영향을 미치는 위험 신호를 감지하면 최대한 빨리 주식을 매도해야 합니다.

3. 밸류에이션

가치투자자는 주식이 내재가치에 도달하면 매도를 고려할 수 있지만, 이는 여러 요인에 따라 달라질 수 있습니다. 내재가치는 비즈니스 모델, 재무 실적, 성장 전망 등에 대한 분석을 기반으로 한 주식의 추정 가치를 의미합니다. 주식이 내재가치에 도달했다는 것은 주식이 저평가 상태에 있지 않고 기업의 가치를 공정하게 평가받았다는 것을 의미합니다.

일반적으로 가치투자자는 내재가치보다 할인된 가격에 거래되는 주식을 찾으므로 주식이 내재가치에 도달한다면 매수할 때 확보한 안전마진은 사라진 것입니다. 이런 경우 해당 주식을 매도하고 그 수익금으로 안전마진이 높은 다른 주식에 투자하는 것을 고려할 수 있습니다.

그러나 내재가치는 정확한 가치가 아니라 추정 가치이며, 주식의 실제 가치는 회사의 재무 실적, 시장 상황의 변화 등에 따라 변동될 수 있다는 점을 명심해야 합니다. 따라서 주식이 내재가치에 도달하더라도 비즈니스가 성장하고 있고 미래 전망이 우호적이라면 여전히 매력적인 투자처일 수 있습니다.

결론적으로 매도 결정은 재무 실적, 시장 상황, 성장 전망은 물론 본인의 투자 목표와 위험 허용 범위에 대한 신중한 평가에 근거해야 합니다. 회사의 성장 전망과 수익성이 위험에 처해 있다고 생각하거나 더 나은 수익이 기대되는 다른 투자처가 있다면 주식을 매도하는 것이 좋은 결정일 수 있습니다.

4. 시장 상황

가치투자자는 투자 목표, 위험 허용 범위, 보유하고 있는 특정 주식에 따라 다양한 시장 상황에서 주식 매도를 고려해야 합니다. 다음은 포트폴리오를 검토하고 주식 매도를 고려할 수 있는 몇 가지 시장 상황입니다.

- 시장 하락: 시장 전체가 크게 하락하는 경우, 내재가치보다 할인된 가격에 거래되지 않는 주식은 매도를 고려하는 것이 좋습니다. 이렇게 하면 시장 위험에 대한 노출을 줄이고 자본을 보전하는 데 도움을 줍니다.
- 시장 변동성 증가: 시장 변동성이 커지는 경우, 밸류에이션이 너무 높아 급격한 조정이 발생할 위험이 있는 주식은 매도를 고려하는 것이 좋습니다. 이렇게 하면 시장 위험에 대한 노출을 줄이고 자본을 보전하는 데 도움을 줍니다.
- 금리 변동: 금리의 변화는 특히 부채가 많은 회사에 큰 영향을 미칠 수 있습니다. 금리가 상승하는 경우, 금리 변동에 민감한 주식은 매도를 고려하는 것이 좋습니다.
- 경기 침체: 경기가 불황에 빠지면 많은 기업의 재무 성과에 악영향을 미치고 주식 가치가 하락할 수 있습니다. 경기 침체의 영향을 많이 받는 업종의 주식은 매도를 고려하는 것이 좋습니다.
- 산업 역학 관계의 변화: 회사가 속한 산업이 상당한 역풍을 맞거나 소비자 행동의 변화에 직면한 경우, 미래 성장 전망이 어두운 주식은 매도를 고려하는 것이 좋습니다.

결론적으로 주식 매도는 재무 실적, 시장 상황, 성장 전망은 물론 투자자 본인의 투자 목표와 위험 허용 범위를 상세히 검토한 후 결정해야 합니다. 특정 주식이 더는 좋은 투자처가 아니라고 판단되거나 더 나은 위험/보상 균형을 제공하는 투자처가 있다면 해당 주식을 매도하는 것이 현명한 결정일 수 있습니다.

5. 포트폴리오 리밸런싱

가치투자자는 포트폴리오 리밸런싱의 일환으로 주식을 매도할 수 있습니다. 리밸런싱은 가치투자자의 포트폴리오 관리 전략에서 중요한 부분입니다. 리밸런싱에는 투자자가 원하는 수준의 분산과 위험 노출을 유지하기 위해 포트폴리오 자산의 가중치를 조정하는 작업이 포함됩니다. 포트폴리오를 정기적으로 리밸런싱하면 다음과 같은 이점이 있습니다.

- 위험 관리: 리밸런싱은 포트폴리오가 특정 주식이나 섹터에 지나치게 편중되는 위험을 관리하는 데 기여합니다. 이렇게 하면 시장 위험에 대한 노출을 줄이고 시장 침체기에 손실을 줄일 수 있습니다.
- 수익률 개선: 리밸런싱은 가치가 상승한 자산은 매도하고 그 수익금으로 실적이 저조한 자산을 매수하여 수익을 개선하는 데 기여합니다.
- 절제: 리밸런싱을 통해 정기적으로 포트폴리오를 검토하고 투자 목표와 위험 허용 범위에 따라 포트폴리오를 조정하면, 절제력을 키우고 단기적인 시장 흐름에 따라 감정적인 결정을 내리는 잘못을 방지할 수 있습니다.
- 투자 목표와 일치: 리밸런싱은 포트폴리오가 투자 목표에 부합하도록 유지하는 데 기여합니다. 예를 들어 가치투자자의 경우, 시장 상황이 변하더라도 리밸런싱을 통해 내재가치보다 할인된 가격에 거래되는 주식에 계속 집중할 수 있습니다.

가치투자자가 포트폴리오를 리밸런싱하는 빈도는 투자 목표, 시장 상황, 개별 주식 등 다양한 요인에 따라 달라집니다. 일반적인 가이드라인은 다음과 같습니다.

- 정기적인 리밸런싱: 많은 투자자가 연간 또는 반기 등 정기적으로 리밸런싱을 실행합니다. 이는 포트폴리오가 투자 목표와 위험 허용 범위에 맞게 유지되는 데 기여합니다.
- 비중 변화에 따른 리밸런싱: 특정 종목의 비중이 너무 크거나 작아질 때 포트폴리오를 리밸런싱할 수 있습니다. 이는 소수 종목에 집중되는 위험을 줄이고 포트폴리오를 적절히 분산하는 데 기여합니다.
- 시장 상황 고려: 시장 상황도 리밸런싱에 영향을 줄 수 있습니다. 예를 들어 시장 변동성이 큰 시기에는 리밸런싱을 더 자주 실행하여 리스크를 줄일 수 있습니다.

챗GPT는 리딩도 해 주나?

아래 내용은 "Chat GPT, 나는 너를 통해 가치투자에 대해 많은 것을 배웠다. 그래서, 지금 어떤 주식이 훌륭한 가치주라고 보니?"에 대한 대답이다.

AI 언어 모델로서 저는 투자할 개별 주식에 대한 구체적인 투자 조언이나 추천을 제공할 수 없습니다. 하지만 가치투자를 구성하는 요소와 투자자들이 일반적으로 가치주에서 찾는 특징에 대한 일반적인 이해는 제공할 수 있습니다.

원론적인 내용의 나열이다. 결론은, 챗GPT는 특정 주식을 추천하거나 리딩해 주지 않는다!

11장
가치투자자가 흔히 저지르는 실수

투자 결정에 대한 과잉 확신

과잉 확신은 가치투자자가 흔히 저지르는 실수입니다. 과잉 확신에 빠진 가치투자자는 다음과 같은 실수를 저지를 수 있습니다.

- 위험 과소평가: 투자에 따르는 위험을 과소평가하여 위험한 주식에 너무 큰 금액을 투자할 수 있습니다.
- 기업분석 소홀: 기업분석을 소홀히 하여 회사의 펀더멘털에 대한 이해가 부족할 수 있습니다.
- 지나친 집중투자: 1개 또는 소수 주식에 집중하여 위험을 증가시키고 분산 투자를 무시하는 경향이 있습니다.
- 하락하는 주식에 집착: 주가가 영구적으로 하락해도 결국 회복할 것이라는 믿음에 사로잡혀 손실이 발생한 주식을 매도하지 않을 수 있습니다.
- 시장의 신호 무시: 매출 또는 수익 감소, 부정적인 산업 동향과 같

은 시장 신호를 무시하여 잘못된 투자 결정을 내릴 수 있습니다.

과잉 확신을 경계하고 투자에 대한 체계적이고 절제된 접근 방식을 채택하는 것이 중요합니다.

포트폴리오 분산 실패

포트폴리오가 1개 또는 소수 종목에 집중되면 단일 종목 또는 섹터에 대한 노출이 증가하기 때문에 위험도가 높아집니다. 분산 투자는 상관관계가 높지 않은 다양한 자산에 투자하여 위험을 분산하고 개별 종목의 성과가 포트폴리오 전체 수익률에 미치는 영향을 줄일 수 있습니다. 분산 투자를 하지 않으면 한 바구니에 모든 것을 담을 위험이 있으며, 투자 논리가 예상대로 실현되지 않는 경우 상당한 손실을 입을 수 있습니다.

시장 상황 무시

시장 상황을 무시하는 것은 가치투자자가 흔히 저지르는 실수입니다. 시장 상황은 투자 성패에 중대한 영향을 미칠 수 있습니다. 예를 들어 경기 침체나 시장 하락은 건전한 기업이라도 일시적으로 가치를 떨어뜨려 가치투자자가 수익을 실현하기 어렵게 만들 수 있습니다. 따라서 가치투자자는 투자 결정을 내릴 때 시장 상황을 고려하고 변화하는 상황에 따라 전략을 조정하는 것이 중요합니다.

실적이 저조한 주식을 너무 오래 보유

가치투자는 저평가된 자산을 매수하여 내재가치에 도달할 때까지 보유해야 하므로 장기적인 관점과 인내심이 필요합니다. 그러나 투자 논리가 예상대로 실현되지 않고 주가가 장기간 오르지 않는 경우도 있습니다. 이러한 경우 가치투자자는 예상된 성과가 나오기를 바라며 실적이 저조한 주식을 계속 보유하려는 유혹을 받습니다. 하지만 이렇게 하면 다른 기회를 놓칠 수 있고(기회비용 발생), 투자 실적이 계속 저조할 경우 상당한 손실을 볼 수 있습니다. 가치투자자는 포트폴리오를 정기적으로 검토하고 원금 보전을 위해 필요한 경우 손실 확정을 고려해야 합니다.

제6부

가치투자의 미래

가치투자는 오랜 시간을 거치며 성공적인 투자 전략으로 검증되었습니다. 그러나 과거의 성과가 미래의 결과를 보장하지 않으며 모든 투자 전략에는 손실 가능성이 있다는 점에 유의해야 합니다.

가치투자는 시장이 항상 효율적이지 않으며 시장에서 저평가된 기업을 찾을 수 있다는 전제를 바탕으로 합니다. 이러한 비효율성이 존재하는 한 가치투자는 성공적인 투자 전략으로 남을 가능성이 큽니다. 또한 시장은 스스로 조정하는 경향이 있으므로(단기적으로 비효율적일 수 있으나 장기적으로 효율적이므로), 내재가치 대비 저평가된 주식을 발굴하는 가치투자의 성과가 장기적으로 전체 시장을 능가하는 것으로 나타났습니다.

그러나 가치투자는 일종의 역발상 투자로 볼 수 있기에 단기적으로는 전체 시장보다 수익이 저조할 수 있다는 점을 유의해야 합니다. 따라서 가치투자는 투자 기간이 짧거나 빠른 수익을 원하는 투자자에게는 적합하지 않을 수 있습니다.

결론적으로 가치투자는 미래에도 성공적인 투자 전략이 될 수 있지만, 다른 투자 전략과 마찬가지로 리스크가 있습니다.

가치투자의 미래를 정확히 예측하는 것은 불가능합니다. 따라서, 시장의 효율성, 경쟁 심화, 경제 상황의 변화 등 가치투자를 어려운 상황으로 이끌 수 있는 여러 요인을 살펴볼 필요가 있습니다.

1. 시장의 효율성 증가: 시장의 효율성이 높아지면 저평가된 기업을 찾기가 더 어려워질 수 있습니다. 정보가 더 빨리 전파되고 시장 참여자가 새로운 정보에 더 빠르게 대응할 수 있어 가치투자자가 저평가된 기업을 찾을 기회가 줄어들 수 있기 때문입니다.
2. 경쟁 심화: 가치투자가 대중화될수록 저평가된 기업을 찾으려는 투자자의 수가 증가할 가능성이 높습니다. 이렇게 경쟁이 치열해지면 저평가된 주식의 가격이 상승하여 가치투자자가 매력적인 투자처를 찾기가 더 어려워질 수 있습니다.
3. 경제 및 시장의 변화: 경제 및 시장의 상황은 급변할 수 있으며, 이러한 변화는 가치투자의 성과에 큰 영향을 미칠 수 있습니다. 예를 들어 금리, 규제, 경제 환경 등의 변화는 모두 기업의 가치와 주가에 영향을 미칠 수 있습니다.

이러한 어려움이 있음에도 가치투자는 오랜 시간을 거치며 성공적인 투자 전략으로 자리 잡았고, 앞으로도 좋은 성과를 낼 가능성이 높습니다. 그러나 가치투자에 성공하기 위해서는 경계를 늦추지 않고 변화하는 시장 상황에 잘 적응해야 합니다.

여기서 나는 이런 질문이 떠올랐다. 사실 투자자는 자신의 투자 철학(가치투자, 기술적 투자, 모멘텀 투자, 성장주 투자, 퀀트 투자, 매크로 투자 등)에 집착하는 경우가 있다. 이러한 집착에서 벗어나 혹시 가치투자를 다른 투자 철학과 접목할 수는 없을까? 골수 가치투자자는 펄쩍 뛸 수도 있겠지만, 미래에는 이렇게 여러 투자 철학을 결합하는 투자자가 성공할 수 있지 않을까? 챗GPT의 답변을 들어보자.

가치투자와 성장주 투자의 결합은 가능한가?

가치투자와 성장주 투자는 병행할 수 있습니다. 실제로 많은 투자자가 가치투자와 성장주 투자 전략을 함께 사용하여 '높은 수익 가능성'과 '위험 최소화 목표'의 균형을 맞추는 포트폴리오를 구축합니다.

가치투자는 내재가치보다 저평가된 주식을 매수하는 데 중점을 둡니다. 저평가된 기업 중에서 진정한 가치를 인정받아 주가 상승으로 이어질 가능성이 있는 주식을 찾는 것이 목표입니다.

성장주 투자는 성장 잠재력과 미래 성장 전망이 높은 기업의 주식을 매수하는 데 중점을 둡니다. 빠르게 성장하고 있고 앞으로도 계속 성장할 것으로 예상되는 기업을 찾아 높은 주가 상승의 결과를 얻는 것이 목표입니다.

가치투자와 성장주 투자를 결합하면 자본 가치 상승과 위험 최소화 목표 사이에서 균형을 맞출 수 있습니다. 예를 들어 가치주와 성장주는 상관관계가 낮은 경향이 있으므로 분산 효과를 얻을 수 있습니다.

또한 가치주와 성장주에 모두 투자하는 포트폴리오는 안전마진을 확보한 주식과 수익 성장률이 높은 주식을 동시에 보유함으로써 두 가지 접근법의 이점을 함께 누릴 수 있습니다.

나는 매출/영업이익/순이익이 성장하는데 아직 PER/PBR 등 밸류에이션이 낮은 '성장가치주'를 선호하는 편이다. 챗GPT는 가치주 50%, 성장주 50%의 포트폴리오가 분산 효과가 있어서 포트폴리오의 리스크를 낮출 수 있다고 주장한다. 나는 두 가지 방식 모두 일리가 있다고 본다.

가치투자와 기술적 투자의 결합은 가능한가?

가치투자와 기술적 투자는 병행할 수 있습니다. 실제로 많은 투자자가 가치투자의 펀더멘털 분석과 기술적 분석을 함께 사용하여 투자 결정을 내립니다.

기술적 분석은 차트 및 기타 기술적 지표를 사용해 추세를 파악하고 이를 바탕으로 투자 결정을 내리는 단기 투자 방식입니다. 기술적 투자자는 주식의 가격 움직임과 거래량에 초점을 맞추고 이 정보를 활용해 향후 가격 변동을 예측합니다.

투자자는 가치투자와 기술적 분석을 결합하여 투자 결정을 내릴 수 있습니다. 예를 들어 가치투자를 통해 장기적으로 주가가 상승할 가능성이 큰 저평가된 주식을 찾아낸 다음, 기술적 분석을 통해 해당 주식을 매수 또는 매도하기에 가장 좋은 시기를 결정할 수 있습니다.
그러나 가치투자와 기술적 분석을 병행하면 투자 전략이 더 복잡해진다는 점을 명심해야 합니다. 특히 가치투자와 기술적 분석은 때로 상충하는 신호를 보낼 수 있으므로, 이러한 정보를 효과적으로 해석하고 활용하는 방법을 익혀야 합니다.

챗GPT는 가치투자 방법으로 매수할 대상을 정해 놓고, 기술적 분석으로 매수 및 매도 타이밍을 잡는 것이 좋은 접근법이라고 주장한다. 상당히 일리가 있는 주장이다.

가치투자와 모멘텀 투자의 결합은 가능한가?

가치투자와 모멘텀 투자는 병행할 수 있지만, 서로 투자 철학이 다르고 때로 상충하는 신호를 보낼 수 있습니다.
모멘텀 투자는 최근에 주가가 많이 올랐고 앞으로도 계속 오를 것으로 예상되는 주식을 매수하는 데 초점을 맞춘 단기 투자 전략입니다. 시장에는 이른바 추세가 존재한다는 생각, 즉 주가가 상승한 종목은 계속 상승할 가능성이 높고 하락한 종목은 계속 하락할 가능성이 높다는 생각에서 비롯된 투자 철학입니다.
가치투자와 모멘텀 투자를 결합하면 두 유형의 상관관계가 적어서 분산 효과를 얻을 수 있습니다. 또한 높은 모멘텀을 가진 주식과 안전마진이 있는 주식을 동시에 보유해 두 가지 접근법의 장점을 동시에 누릴 수 있습니다.

나는 PER/PBR 등 밸류에이션이 낮은 수준에 있는 '모멘텀 가치주'를 선호하는 편이다. 챗GPT는 가치주 50%, 모멘텀주 50%의 포트폴리오가 리스크를 낮출 수 있다고 주장한다.

가치투자와 퀀트 투자의 결합은 가능한가?

가치투자와 퀀트 투자는 보완성이 좋아서 결합할 수 있습니다.

퀀트 투자는 수학적 모델과 알고리즘을 사용하여 투자 결정을 내리는 전략입니다. 퀀트 투자자는 대량의 데이터와 과거의 시장 성과에 의존하여 패턴을 파악하고 미래 시장의 움직임을 예측합니다.

가치투자와 퀀트 투자를 결합하면 두 접근법의 강점을 모두 활용해 투자 결정을 내릴 수 있습니다. 예를 들어 가치투자는 안전마진을 제공하는 저평가된 주식을 식별하는 데 사용할 수 있고, 퀀트 투자는 데이터를 분석하고 향후 시장 움직임을 예측하는 데 사용할 수 있습니다.

또한 가치투자와 퀀트 투자를 결합하면 정성적 요소와 정량적 요소를 모두 고려하기 때문에 좀 더 완전하고 강력한 투자 전략을 세울 수 있습니다. 두 가지 접근법을 모두 사용함으로써 투자자는 각 투자와 관련된 위험과 보상을 더 잘 이해하고 더 많은 합리적인 결정을 내릴 수 있습니다.

나도 예전에는 퀀트 분석을 통해 50개 종목을 골라 놓고 나름대로 가치투자 방식을 활용해 20개 종목을 엄선해 투자했는데, 늘 내가 투자하지 않았던 30개 종목의 수익률이 내가 선택한 20개 종목의 수익률보다 높았다.
이는 가치투자 방식이 유효하지 않다는 것이 아니라, 강환국의 기업분석 능력이 부족하다는 것을 의미한다. 능력 있는 가치투자자는 퀀트 분석을 통해 관심 종목을 고른 후 상세한 기업분석을 통해 옥석을 가려낼 것이라고 생각하며, 실제로 그렇게 투자하는 사람도 많다고 알고 있다.

가치투자와 매크로 투자의 결합은 가능한가?

가치투자와 매크로 투자는 보완성이 좋아서 결합할 수 있습니다.
매크로 투자는 전 세계 금융 시장을 움직이는 거시경제, 지정학적 추세 등에 초점을 맞춘 투자 방식입니다. 매크로 투자자는 이러한 매크로 정보를 사용하여 주식, 채권, 원자재, 통화 등 다양한 자산군에 투자합니다.
가치투자와 매크로 투자를 결합하면 두 접근법의 강점을 모두 활용해 투자 결정을 내릴 수 있습니다. 예를 들어, 가치투자는 안전마진을 제공하는 저평가된 주식을 식별하는 데 사용할 수 있고, 매크로 분석은 해당 투자에 영향을 미칠 수 있는 거시경제 및 지정학적 동향을 이해하는 데 사용할 수 있습니다.

또한 가치투자와 매크로 투자를 결합하면 미시적 수준(기업별)과 거시적 수준(글로벌)의 요소를 모두 고려하므로 좀 더 완전하고 견고한 투자 전략을 세울 수 있습니다. 두 가지 접근법을 모두 사용함으로써 투자자는 각 투자와 관련된 위험과 보상을 더 잘 이해하고 더 많은 합리적인 결정을 내릴 수 있습니다.

미시적 수준과 거시적 수준을 결합한 투자! 매우 멋있는 말이다. 다만 이런 투자가 현실적으로 어려우니까 문제다.

챗GPT는 가치투자와 다른 투자 철학을 결합하면 상당한 시너지를 일으킬 수 있다고 생각한다. 여러 투자 철학을 결합해 투자하는 방법, 이것이 바로 투자의 미래가 아닐까?

제7부

가치투자로 성공하기

1장
성공한 가치투자자가 적은 이유

가치투자는 장기적으로 훌륭한 투자법으로 인정받고 있지만 정작 훌륭한 가치투자자는 상대적으로 적은 편입니다. 다음과 같은 요소들이 이유일 수 있습니다.

1. 절제력 부족: 가치투자는 절제와 인내심, 장기적인 관점이 필요합니다. 특히 시장 변동성이 크거나 기업의 실적이 저조할 때 가치투자 전략을 고수하기 어려울 수 있습니다.

절제력을 키우는 방법은 29쪽에 설명했다.

2. 가치 평가의 어려움: 기업의 내재가치를 정확히 파악하기란 어렵고 복잡한 일입니다. 따라서 저평가된 기업을 식별하고 적절한 주가를 판단하기 어려울 수 있습니다.

기업의 재무 상황, 경제적 우위, 경영진의 역량까지 판단하고 적절한 밸류에이션 방법을 사용해 내재가치를 측정하는 과정이 결코 쉬울 수 없다.

3. 치열한 경쟁: 가치투자가 대중화하면서 가치투자자 간의 경쟁이 치열해져 저평가된 주식을 찾기가 더욱 어려워졌습니다. 경쟁이 치열해지면 저평가된 주식의 가격이 상승하여 매력적인 수익을 달성하기가 어렵습니다.

대형주, 특히 미국 대형주에서는 현저히 저평가된 기업을 찾기가 점점 더 어려워지는 것 같다. 그러나 소형주에서는 아직 기회가 많다고 생각한다.

4. 심리적 편향: 투자자는 손실 회피, 과잉 확신 등 심리적 편향에 빠지기 쉬우며, 이로 인해 잘못된 투자 결정을 내릴 수 있습니다. 심리적 편향은 가치투자자가 절제력을 유지하고 기존의 투자 전략을 고수하기 어렵게 만듭니다.
5. 경험 부족: 가치투자는 재무제표, 비즈니스 모델, 펀더멘털 등에 대한 깊은 이해가 필요합니다. 경험이 부족한 투자자는 이러한 지식을 습득하고 효과적으로 활용하는 데 어려움을 느낄 수 있습니다.

심리적 편향은 어떻게 피하는가?

심리적 편향은 투자 결정에 중대한 영향을 미쳐 기대에 미치지 않는 결과를 초래할 수 있습니다. 심리적 편향을 피하는 방법은 다음과 같습니다.

1. 체계적인 투자 프로세스 개발: 체계적인 투자 프로세스는 심리적 편향의 영향을 최소화하는 데 도움을 줍니다. 일련의 규칙과 가이드라인을 따르면 감정과 인지적 편견이 의사 결정에 미치는 영향을 줄일 수 있습니다.

퀀트 투자하라는 거네! 좋았어, 챗GPT!

2. 감정 관리: 뉴스와 이벤트에 대한 감정적 반응은 종종 충동적인 결정으로 이어질 수 있습니다. 자신의 감정을 인식하고 이를 관리하면 감정적 편견이 미치는 영향을 최소화할 수 있습니다.
3. 다양한 의견 구하기: 여러 출처의 의견을 듣고 다양한 관점을 고려하면 확증편향과 집단적 사고의 영향을 줄일 수 있습니다. 신뢰할 수 있는 출처의 의견을 구하고 다른 관점을 가진 사람들의 주장에 귀 기울이십시오.
4. 앵커링에 유의: 앵커링anchoring이란 의사 결정을 내릴 때 초기 정보에 지나치게 의존하는 경향을 말합니다. 이러한 편견을 피하려면 여

러 출처의 정보를 고려하고 새로운 정보를 입수하면 초기 견해를 변경할 수 있는 열린 자세를 가져야 합니다.

5. 장기적인 관점: 단기 성과에 집중할 때 심리적 편향이 더 강하게 나타날 수 있습니다. 장기적인 관점을 가지고 투자 목표에 집중하면 좀 더 합리적인 결정을 내릴 수 있습니다.
6. 전문가의 도움 구하기: 투자 전문가의 객관적인 조언을 구하면 심리적 편향을 줄이고 투자 목표를 달성하는 데 도움이 됩니다.

이 중에서 2번 감정 관리, "자신의 감정을 인식하고 이를 관리하라"라는 내용이 흥미로웠다. 그건 어떻게 해야 할까?

1. 인식: 감정을 관리하는 첫 번째 단계는 감정을 인식하는 것입니다. 투자 결정을 내릴 때 자신의 감정에 주의를 기울이고 어떤 감정이 결정에 영향을 미치는지 파악해 보세요.
2. 성찰: 어떤 감정이 생기는지 그 이유를 생각해 보십시오. 어떤 욕구 또는 근본적인 두려움이 감정을 유발하는지 스스로 질문을 던져 보십시오.
3. 자기 대화: 긍정적인 자기 대화Self-Talk를 연습하고 투자 결정을 내린 이유를 떠올려 보십시오. 이는 부정적인 감정에 대응하고 심리적 편향을 줄이는 데 도움을 줄 수 있습니다.
4. 마음챙김: 명상이나 심호흡과 같은 마음챙김Mindfulness은 감정을 진

정시키고 스트레스를 줄이는 데 도움을 줍니다. 또한 이러한 연습은 자신의 생각과 감정을 좀 더 명확하게 이해하는 데 도움을 줍니다.

5. 휴식 취하기: 감정에 사로잡혀 이성적 판단이 어렵다고 느껴진다면 잠시 휴식을 취하고 그 상황에서 한 발짝 물러나십시오. 이렇게 하면 감정을 조절하고 다시 돌아왔을 때 좀 더 합리적인 결정을 내릴 수 있습니다.
6. 도움 구하기: 친구, 가족, 전문가에게 도움을 요청하십시오. 신뢰할 수 있는 사람에게 감정을 털어놓으면 새로운 관점을 얻고 합리적인 결정을 내리는 데 도움을 받을 수 있습니다.

자신의 감정을 인식하고 이를 관리하는 조치를 하면 투자 결정에 미치는 감정의 영향을 줄이고 좀 더 합리적이고 객관적인 결정을 내릴 수 있습니다. 하지만 감정의 발생은 투자 과정의 정상적인 부분이며, 감정이 생기는 것 자체는 자연스러운 일이라는 것을 기억해야 합니다. 중요한 것은 자신의 감정을 인식하고 이를 효과적으로 관리하여 투자 결정에 부정적인 영향을 미치지 않도록 하는 것입니다.

2장
가치투자 책 추천

챗GPT가 추천한 가치투자 책은 다음과 같다.

1. 벤저민 그레이엄의 《현명한 투자자The Intelligent Investor》: 가치투자의 바이블로 여겨지는 책으로, 그레이엄의 투자 철학과 가치투자에 대한 가이드라인을 제공합니다.
2. 벤저민 그레이엄과 데이비드 도드의 《증권분석Security Analysis》: 가치투자의 관점에서 주식과 채권을 분석하는 도구를 제공합니다.
3. 피터 린치의 《전설로 떠나는 월가의 영웅One Up on Wall Street》: 성장주 중심의 가치투자자로 유명한 피터 린치는 이 책에서 저평가된 성장주를 찾는 자신의 접근 방식을 설명합니다.
4. 로렌스 커닝험Lawrence A. Cunningham이 편집한 《워런 버핏의 주주서한The Essays of Warren Buffett》: 버핏이 버크셔 해서웨이 주주에게 보낸 서한을 엮은 것으로, 그의 투자 철학과 의사 결정 과정에

대한 통찰력을 제공합니다.

5. 크리스토퍼 브라운Christopher Browne의 《가치투자의 비밀The Little Book of Value Investing》: 가치투자에 대한 간결하고 접근하기 쉬운 내용을 담은 이 책은 저평가된 주식을 찾고 성공적인 가치투자 전략을 구축하기 위한 실용적인 조언을 제공합니다.
6. 하워드 막스Howard Marks의 《투자에 대한 생각The Most Important Thing》: 유명한 가치투자자인 저자는 이 책에서 자신의 투자 철학과 위험 관리에 대한 통찰력을 제공합니다.
7. 브루스 그린왈드Bruce Greenwald의 《가치투자: 그레이엄에서 버핏까지 그리고 그 너머Value Investing – From Graham, Buffett and beyond》(한글 번역서 없음)는 가치투자의 역사와 가장 성공적인 가치투자자들이 사용한 방법에 대한 포괄적인 개요를 제공합니다

이 책들 말고 다른 훌륭한 책은 없냐고 질문하니 추가로 책을 추천했다.

8. 모니시 파브라이Mohnish Pabrai의 《투자를 어떻게 할 것인가The Dhandho Investor》는 가치투자의 원칙을 바탕으로 개인 투자자를 위한 실용적인 조언을 제공합니다. 또한 성공적인 투자자의 사례와 개발도상국의 기업가들이 사용하는 전략 사이의 유사점을 도출합니다.
9. 존 하인스John Heinz와 휘트니 틸슨Whitney Tilson의 《가치투자의 예술The Art of Value Investing》은 가치투자에 대한 포괄적인 개요를 제

공하며 성공적인 가치투자자의 사례를 담고 있습니다.

10. 토비아스 칼라일Tobias Carlisle의 《딥 밸류Deep Value》는 초저평가 영역에 있는 기업을 식별하고 평가하는 방법을 포함하여 딥 밸류 철학에 대한 포괄적인 개요를 제공합니다.
11. 데이비드 드레먼David Dreman의 《데이비드 드레먼의 역발상 투자Contrarian Investment Strategies》는 투자의 심리적 측면과 그것이 투자 결정에 미치는 영향을 탐구하고 성공적인 역발상 투자의 가이드라인을 제공합니다.

1~3번, 8번 책은 앞에서 이미 설명했으며, 4번은 워런 버핏의 주주 서한을 주제별로 엮은 책이다. 나머지 책들에 대해서는 추가 질문을 던져 보았다. 참고로 7번 책은 내가 임의로 지은 이 책의 영어 제목 《Value Investing: Benjamin Graham, Warren Buffett and Beyond》와 거의 유사하다! 이런 우연이 있나? 물론 챗GPT가 쓴 이 책의 내용은 7번 책과는 완전히 다르다.

크리스토퍼 브라운의 《가치투자의 비밀》은 어떤 가치투자 전략을 제시하는가?

《가치투자의 비밀》은 가치투자의 원칙과 기법에 대한 개요와 가치투자 전략을 실행하기 위한 실용적인 조언을 제공합니다. 이 책이 제시하는 전략은 다음과 같습니다.

1. 저평가된 주식에 집중하라: 내재 가치보다 할인된 가격에 거래되는 주식을 찾는 것이 중요합니다.
2. 재무가 튼튼한 기업을 찾아라: 지속적인 수익 성장, 낮은 부채 수준, 건전한 재무상태표 등 탄탄한 재무 상태를 갖춘 기업을 찾아야 합니다.
3. 회사의 경쟁 우위를 고려하라: 강력한 브랜드, 독점 기술, 대규모 고객 기반과 같은 지속 가능한 경쟁 우위를 가진 기업을 찾으십시오.
4. 인내심이 핵심이다: 가치투자에는 인내심과 장기적인 관점이 필요합니다. 이 책은 절제된 투자 방식을 유지하기 위한 실용적인 조언을 제공합니다.
5. 분산 투자가 중요하다: 다양한 섹터와 산업, 국가와 지역에 걸쳐 포트폴리오를 다각화해야 합니다.

이 책에 모두 나와 있는 내용이다.

하워드 막스의 《투자의 대한 생각》이 강조하는 바는 무엇이고, 이는 버핏이 강조하는 것과 어떻게 다른가?

하워드 막스는 《투자에 대한 생각》에서 엄격하고 절제된 투자 접근법을 강조합니다. 막스는 자신의 편견과 감정을 인식하고 시장 상황과 경제 사이클에 대한 세심한 시각을 갖는 것이 중요하다고 강조합니다.

또한 시장 상황이 어려울 때도 투자 철학을 고수하는 것이 중요하다고 강조합니다.

막스의 접근 방식은 버핏과 여러 면에서 다릅니다. 두 사람 모두 가치투자자이기는 하지만, 버핏이 '합리적인 가격에 성장주를 사는' 투자자로 불리는 반면 막스는 성장 가능성은 덜 보고 저평가된 기업에 더 집중하는 가치투자자로 평가됩니다.

두 사람의 또 다른 주요 차이점은 리스크 관리에 대한 접근 방식입니다. 버핏은 장기적인 투자 관점을 가지고 몇몇 우량 기업에 기꺼이 큰 베팅을 하는 것으로 유명한데, 막스는 리스크 관리에 보다 신중한 접근 방식을 취하며, 수익률 상승 가능성을 일부 희생하더라도 하방 리스크를 방어하는 데 더 중점을 둡니다.

브루스 그린왈드의 책 내용은 무엇이며 이 책과의 차별점은?

그린왈드의 《가치투자: 그레이엄에서 버핏까지 그리고 그 너머》는 벤저민 그레이엄과 워런 버핏의 가르침과 가치투자 철학의 진화에 초점을 맞춘 가치투자에 대한 포괄적인 내용의 책입니다. 이 책은 성공적인 가치투자자들이 사용하는 원칙과 기법을 탐구하고 이러한 원칙을 자신의 투자 전략에 적용하려는 투자자들에게 가이드라인을 제공합니다.

이 책의 주요 내용 중 하나는 안전마진의 중요성, 내재가치에 대한 초점, 장기 투자 기간의 필요성 등 가치투자 철학에 대한 자세한 분석입니다. 이 책은 저평가된 기업을 식별하는 방법, 펀더멘털 분석을 수행하는 방법, 가치주 포트폴리오를 구성하는 방법 등 성공적인 가치투자자들이 사용하는 방법에 대한 포괄적인 개요를 제공합니다.

이 책과 다른 가치투자 서적의 주요 차이점 중 하나는 가치투자 원칙의 실제 구현에 초점을 맞추고 있다는 점입니다. 이 책은 가치투자 전략을 구현하려는 투자자에게 상세한 가이드라인을 제공하고, 저평가된 기업을 식별하고 가치 지향 포트폴리오를 구성하는 방법에 대한 실용적인 조언을 제공합니다.

또 다른 차이점은 이 책이 기업의 경제적 해자를 이해하는 것의 중요성을 강조한다는 점입니다. 그린왈드는 지속 가능한 경쟁 우위를 가진 기업을 식별하는 것이 성공적인 가치투자의 핵심이라고 주장하며, 기업이 보유할 수 있는 다양한 유형의 경제적 해자에 대해 상세하게 분석합니다.

마지막으로 이 책은 가치투자가 어떻게 진화해 왔는지, 그리고 이 철학이 현대 투자자들에게 어떻게 적용되었는지에 대한 독특한 관점을 제시합니다. 이 책은 패시브 투자의 부상과 기술이 시장에 미치는 영향 등 오늘날 가치투자자들이 직면한 과제 또한 다룹니다.

이 책과 비슷한 내용도 포함되어 있으나, 책의 구성과 사례에서 많은 차이가 있다.

하인스와 틸슨의 책 내용은 무엇이며 다른 가치투자 책과 어떻게 다른가?

존 하인스와 휘트니 틸슨의 《가치투자의 예술》은 세스 클라만, 조엘 그린블라트, 워런 버핏과 같은 성공적인 가치투자자들의 인터뷰 모음집입니다. 이 책은 우리 시대 가장 성공적인 가치투자자들의 투자 전략과 철학에 대한 통찰력을 제공하고, 이러한 전략을 자신의 포트폴리오에 적용하고자 하는 투자자들에게 실질적인 조언을 줍니다.

이 책의 주요 내용은 저평가된 기업 식별, 펀더멘털 분석, 가치주 포트폴리오 구성 등 가치투자와 관련된 다양한 주제를 다루는 가치투자자들과의 인터뷰입니다. 이 책은 또한 투자자들의 개인적인 이야기, 투자 철학, 리스크 관리 및 포트폴리오 구성에 대한 접근 방식에 대해서도 다룹니다.

《가치투자의 예술》과 다른 가치투자 서적의 주요 차이점 중 하나는 성공한 가치투자자의 이야기와 경험에 초점을 맞추고 있다는 점입니다. 이 책은 성공한 투자자들이 실제로 가치투자 원칙을 어떻게 적용했는지를 보여 주는 사례 연구를 모은 책이라고 볼 수 있습니다. 이러한 접근 방식은 독자들에게 가치투자에 대한 독특한 관점을 제공하고, 이 분야에서 가장 성공한 투자자들의 경험을 통해 배울 수 있게 합니다.

또 다른 차이점은 실용적인 조언과 실제 사례에 중점을 둔다는 점입니다. 이 책은 초보자부터 숙련된 전문가까지 다양한 투자자가 접근할 수 있도록 설계되었으며, 실제 상황에서 가치투자 원칙을 구현하는 방법에 대한 실용적인 팁을 줍니다. 또한 인터뷰에서 논의된 개념을 설명하는 여러 사례 연구와 예시가 포함되어 있어 투자 기술과 지식을 향상하려는 투자자에게 유용한 자료가 될 것입니다.

칼라일의 책 내용은 무엇이며 다른 가치투자 책과 어떻게 다른가?

토비아스 칼라일의 《딥 밸류》는 내재 가치보다 현저히 할인된 가격에 거래되는 주식을 매수하는 딥 밸류 투자의 개념을 탐구하는 책입니다. 이 책은 딥 밸류 투자 철학에 대한 포괄적인 개요를 제공하고, 저평가된 기업을 식별하고 딥 밸류 주식 포트폴리오를 구성하는 방법에 대한 실용적인 가이드라인을 제시합니다.

이 책의 주요 내용은 딥 밸류 투자에 대한 학술적 연구와 성공적인 투자자들이 실제로 심층 가치투자를 어떻게 실행했는지에 대한 심층 분석입니다. 칼라일은 저평가된 기업을 식별하는 데 사용되는 PER, 배당수익률, PFCR 등 다양한 정량적 지표를 자세히 설명합니다.

이 책의 또 다른 핵심 측면은 딥 밸류 투자 전략에서 촉매제Catalyst의 중요성에 초점을 맞추고 있다는 점입니다. 칼라일은 기업 구조조정이나 경영진 교체와 같은 촉매제를 찾아내면 저평가된 기업의 가치를 끌어올려 투자자에게 상당한 수익을 안겨줄 수 있다고 주장합니다.

《딥 밸류》와 다른 가치투자 서적의 주요 차이점 중 하나는 기업의 경쟁 우위나 경영 품질과 같은 정성적 요소보다는 정량적 분석에 더 중점을 둔 딥 밸류 투자 전략에 초점을 맞추고 있다는 점입니다. 이 책은 가치투자에 대한 독특한 관점을 제시하고 가치투자에 대한 보다 정량적인 접근 방식을 구현하고자 하는 투자자가 읽으면 좋은 책입니다.
또 다른 차이점은 딥 밸류 투자 전략에서 인내와 절제력의 중요성을 강조한다는 점입니다. 칼라일은 성공적인 딥 밸류 투자를 위해서는 장기적인 투자 관점이 중요하며, 단기적으로 실적이 저조한 기간 동안 저평가된 주식을 인내하면서 보유해야 한다고 주장합니다.

칼라일이 말하는 '촉매제'는 무엇인가?

가치투자의 촉매제란 기업 가치에 대한 시장의 인식 변화를 촉발할 수 있는 일련의 사건을 의미합니다. 인수 합병, 경영진 또는 리더십의 변화, 신제품 출시, 업계 역학 관계의 변화 등과 같은 특정 이벤트가 촉매제로 작용합니다.
촉매제의 개념은 저평가된 기업의 가치를 끌어올려 주가를 크게 상승시킬 수 있기 때문에 가치투자에서 중요합니다. 저평가된 기업은 일시적인 어려움이나 불리한 조건으로 인해 시장에서 소외되는 경우가 많습니다. 그러나 회사의 전망을 개선하는 촉매 이벤트가 발생하면 시장은 회사의 가치를 재평가하여 주가가 상승할 수 있습니다.
또한 촉매제는 투자 가치를 실현할 수 있는 보다 확실한 경로를 제공하기 때문에 저평가된 기업에 투자하는 위험을 줄이는 데 도움이 될 수 있습니다. 잠재적 촉매제와 그것이 기업의 미래 전망에 미치는 영향을 파악함으로써 가치투자자는 합리적인 투자 결정을 내리고 상당한 수익을 창출할 가능성을 높일 수 있습니다.

드레먼의 '역발상 투자 전략'은 무엇인가?

우선 역발상 투자와 가치투자의 차이는 무엇인가?

역발상 투자는 시장이 선호하지 않아 저평가된 주식을 매수하는 투자 전략입니다. 역발상 투자의 기본 개념은 시장이 뉴스와 이벤트에 과민하게 반응하는 경향이 있어 단기적으로 주식 가격이 잘못 책정될 수 있으며, 인내심 있고 절제된 투자자는 이를 이용할 수 있다는 것입니다.

역발상 투자자는 악재, 업계 혼란 또는 시장의 부정적인 추세와 같은 이슈로 인해 일시적으로 주가가 하락한 기업을 찾는 데 집중하는 경우가 많습니다. 이러한 기업을 할인된 가격에 매수하여 시장에서 진정한 가치를 인정받을 때까지 보유했다가 차익을 남기고 매도하는 것이 목표입니다.

반면 가치투자는 저평가된 주식이나 기타 증권을 매수하는 광범위한 투자 전략으로, 기업의 내재적 가치에 중점을 둡니다. 가치투자자는 일반적으로 수익, 현금흐름, 자산과 같은 요소에 대한 펀더멘털 분석을 바탕으로 내재 가치 대비 현저히 할인된 가격에 거래되는 기업을 찾습니다.

가치투자와 역발상 투자 사이에는 일부 중복되는 부분이 있지만, 몇 가지 주요 차이점도 있습니다. 가치투자자는 주로 기업의 내재 가치에 초점을 맞추며, 주식을 장기간 보유할 의향이 있습니다. 반면에 역발상 투자자는 단기적인 시장 비효율성에 더 초점을 맞출 수 있으며 주식이 일시적인 부진에서 회복되면 주식을 매도할 의향도 있습니다.

드레먼은 성공적인 역발상 투자를 위해서는 펀더멘털 분석, 심리적 편향에 대한 통찰력, 규율의 조합이 필요하다고 주장합니다. 다음은 드레먼이 본인의 책에서 설명하는 몇 가지 핵심입니다.

- **밸류에이션에 집중** 성공적인 역발상 투자자는 밸류에이션에 초점을 맞추고 내재 가치 대비 현저히 할인된 가격에 거래되는 기업을 찾아야 한다고 드레먼은 주장합니다. 일시적으로 시장의 선호를 받지 못하는 기업을 찾아내어 시장의 비효율성을 활용하고 장기적으로 매력적인 수익을 창출할 수 있습니다.
- **펀더멘털 분석** 드레먼은 밸류에이션도 중요하지만 기업의 펀더멘털을 분석하는 것도 중요하다고 강조합니다. 여기에는 수익 성장, 현금흐름, 부채 수준, 경영진의 자질과 같은 요소가 포함됩니다. 펀더멘털 분석에 대한 포괄적인 접근 방식을 취함으로써 역발상 투자자는 장기적인 전망이 강하지만 현재 시장에서 저평가된 기업을 식별할 수 있습니다.
- **인내심과 절제력** 시장에서 저평가된 기업의 가치를 인식하는 데 시

간이 걸리는 경우가 많으므로 인내심과 절제력이 필요합니다. 드레먼은 장기적인 투자 관점을 유지하는 것이 중요하며, 단기적인 시장 변동에 맞서 절제력을 유지해야 한다고 강조합니다.

- **심리적인 편향에 대한 통찰** 드레먼은 행동경제학을 활용하여 시장이 단기 뉴스와 이벤트에 과민하게 반응하여 일시적으로 주식 가격이 잘못 책정되는 이유를 설명합니다. 이러한 행동 편향을 이해함으로써 역발상 투자자는 시장의 비효율성을 활용하고 매력적인 수익을 창출할 수 있습니다.
- **분산 투자** 마지막으로 드레먼은 역발상 투자 전략에서 다각화의 중요성을 강조합니다. 역발상 투자자는 저평가된 다양한 기업에 분산 투자함으로써 개별 주식 리스크의 영향을 줄이고 장기적으로 매력적인 수익을 창출할 수 있는 가능성을 높일 수 있습니다.

나도 9번(하인스/틸슨)만 빼고는 다 읽어 봤는데 모두 주옥같은 책이다. 가치투자가 더 궁금하다면 저 책들을 추가로 읽어 보길 바란다. 개인적으로는 벤저민 그레이엄의 《현명한 투자자》, 조엘 그린블라트의 《시장을 이기는 작은 책》, 워런 버핏의 주주서한이 가치투자자의 필독서라고 생각한다.

3장
온라인 사이트 추천

다음은 가치투자를 위한 몇 가지 인기 있는 온라인 사이트입니다.

1. 시킹 알파Seeking Alpha: 개별 주식 및 주식 시장 전체에 대한 기사 및 분석을 포함한 투자 리서치 플랫폼입니다.
2. 머틀리 풀The Motley Fool: 주식 분석 및 추천에 중점을 두고 투자 조언과 분석을 제공하는 금융 사이트입니다.
3. 밸류 인베스팅 월드Value Investing World: 가치투자에 대해 배울 수 있는 기사, 팟캐스트, 교육 컨텐츠 등이 있는 가치투자 전용 웹사이트입니다.
4. 구루포커스Gurufocus: 워런 버핏을 비롯한 유명 가치투자자들의 주식 포트폴리오를 추적하고 분석하는 사이트입니다.
5. 디바이던드닷컴Dividend.com: 배당주 기업, 배당금 지급 데이터베이스 등을 제공하는 배당주 전문 사이트입니다.
6. 밸류 라인Value Line: 개별주에 순위를 매기는 독자적인 평가 시스

템을 가지고 있으면서 재무 및 주식 분석을 제공하는 리서치 서비스입니다.

7. 야후 파이낸스Yahoo Finance: 주식 시세, 재무 분석, 시장 뉴스 등을 제공하는 종합적인 금융 뉴스 및 정보 사이트입니다.

'시킹 알파'가 가치투자에 어떻게 도움이 되는가?

시킹 알파는 금융 전문가 및 개인 투자자를 포함한 기고자의 시장 뉴스, 분석 및 의견을 제공하는 금융 사이트입니다. 이 사이트는 여러 가지 측면에서 가치투자자에게 유용할 수 있습니다.

- **아이디어 창출** 투자자는 다양한 주식, 산업 및 시장 동향에 대한 새로운 투자 아이디어와 통찰력을 얻을 수 있습니다.
- **분석 및 연구** 전문 투자자 및 개인 투자자가 작성한 수많은 심층 연구 및 분석 자료에 접근할 수 있습니다.
- **시장 뉴스 및 업데이트** 시킹 알파의 기사 및 뉴스 피드를 팔로우하여 최신 시장 뉴스 및 동향을 접할 수 있습니다.
- **커뮤니티** 투자자는 사이트의 댓글 섹션 및 포럼을 통해 다른 투자자 및 금융 전문가와 교류하여 통찰력을 공유하고 배움을 얻을 수 있습니다.

실제로 상당히 수준 높은 글이 많이 올라와 있다. 미국에는 일반 투자

자가 금융 전문가 못지 않게 지식 수준이 높은 경우가 많다.

'머틀리 풀'은 가치투자에 어떻게 도움이 되는가?

머틀리 풀은 개인 투자자에게 투자 자문, 주식 분석 및 종목 추천을 제공하는 투자 자문 및 금융 서비스 회사입니다. 투자자가 합리적인 투자 결정을 내릴 수 있도록 뉴스레터, 토론 게시판, 프리미엄 리서치 서비스 등 다양한 서비스를 제공합니다. 머틀리 풀의 리소스를 이용하면 숙련된 투자 전문가의 통찰력과 분석은 물론 다른 개인 투자자의 관점도 얻을 수 있어 투자 수익률을 높이는 데 유용합니다.

'밸류 인베스팅 월드'는 어떤 정보를 제공하나?

밸류 인베스팅 월드는 가치투자에 초점을 맞춘 커뮤니티 웹사이트입니다. 기사, 교육 자료, 포럼 등 가치투자와 관련된 다양한 자료와 정보를 제공합니다. 이 사이트에서 제공하는 정보는 아래와 같습니다.

- 가치투자의 개념 및 투자 전략
- 개별 주식 분석 자료
- 시장 뉴스 및 인사이트
- 다른 가치투자자와의 토론 및 아이디어 교환

'구루포커스'는 어떤 '구루(투자 전설)'들을 팔로우하는 것 외에 어떤 정보를 제공하는가?

구루포커스는 워런 버핏, 피터 린치, 조엘 그린블라트 등 저명한 투자 전문가와 기관 투자자들의 투자 전략과 포트폴리오를 추적합니다. 이 사이트는 재무 데이터 및 분석, 주식 스크리너, 백테스팅 도구, 포트폴리오 추적 기능 등 다양한 투자 리서치 및 도구를 제공합니다. 이 외에도 다양한 재무 지표와 비율을 기반으로 개별 주식에 대한 자체 분석 및 등급을 찾아볼 수 있습니다. 또한 시장 동향에 대한 뉴스와 분석은 물론 투자 전문가와 업계 관계자의 논평과 통찰력도 얻을 수 있습니다.

저명한 투자자들의 실제 포트폴리오를 분석하면 초과 수익으로 연결되는가?

저명한 가치투자자의 포트폴리오 분석은 그들의 투자 철학과 의사 결정 과정에 대한 통찰력을 제공할 수 있지만, 그들의 보유 종목을 따라 한다고 해서 초과 수익이 발생한다는 보장은 없습니다. 과거의 성과가 미래의 결과를 보장하는 것은 아니며, 개별 투자 성공 여부는 위험 감내 능력, 투자 기간, 시장 상황 등 다양한 요인에 따라 달라진다는 점을 기억해야 합니다. 또한 다른 사람의 포트폴리오를 보고 투자 결정을 내리기보다는 직접 기업을 분석하는 것이 중요합니다.

'밸류라인'은 '시킹 알파'나 '머틀리 풀'과 어떻게 다른가?

세 사이트는 금융 및 투자 정보와 분석을 제공하지만 초점과 방식이 다릅니다. 밸류 라인은 추천 종목 및 주식 순위 등 개별 주식 및 뮤추얼 펀드에 대한 정보를 제공하는 금융 리서치 및 분석 기업입니다. 시킹 알파는 개인 투자자 및 투자 전문가의 크라우드소싱 콘텐츠에 중점을 둔 투자 리서치 플랫폼입니다. 머틀리 풀은 주로 개인투자자를 대상으로 가치투자에 중점을 두고 투자 자문 및 포트폴리오 관리 서비스를 제공하는 금융 서비스 기업입니다.

'밸류 라인 랭킹'은 꽤 유명한데, 어떤 논리로 만들었나?

밸류 라인 랭킹은 펀더멘털 지표와 기술적 분석 지표의 조합을 기반으로 합니다. 이 시스템은 밸류 라인의 설립자인 아널드 버나드Arnold Bernhard가 개발했으며, 각 종목에 1에서 5 사이의 점수를 부여합니다(1이 가장 높은 등급이고 5가 가장 낮은 등급입니다).

밸류라인 랭킹이 분석하는 펀더멘털 지표는 PER, 배당 수익률, ROE 등 다양한 재무 지표와 비율이 있습니다. 이 지표들은 회사의 재무 건전성과 전반적인 성과를 평가하고 주식이 저평가 또는 고평가되었는지 여부를 판단하는 데 사용됩니다.

기술적 분석 요소에는 다양한 차트 및 기술 분석 도구를 사용하여 시간 경과에 따른 주식의 가격 변동과 추세를 평가하는 것이 포함됩니다. 이 분석은 주식의 주요 지지선과 저항선을 파악하고 전반적인 추세와 모멘텀을 파악하는 데 도움이 됩니다.

전반적으로 밸류 라인 순위 시스템은 투자자에게 종목의 재무 상태와 실적은 물론 현재 시장 상황과 추세를 종합적으로 파악할 수 있도록 설계되었습니다. 이 랭킹 시스템은 정량적 분석과 정성적 분석의 조합을 기반으로 하며, 투자자가 어떤 주식을 매수, 보유 또는 매도할지 합리적인 결정을 내리는 데 도움을 주기 위해 만들어졌습니다.

'야후 파이낸스'와 유사한 종합 금융 플랫폼은 어떤 것이 있는가?

야후 파이낸스 같은 종합 금융 플랫폼은 가치투자에 특화된 플랫폼이라 보긴 어렵지만 수많은 지수, 종목, ETF 등의 가격 정보와 차트를 볼 수 있어서 가치투자자뿐 아니라 모든 투자자가 종종 사용하게 된다. 우리가 야후만 밀어줄 수는 없다. 챗GPT는 아래 10개 사이트를 추천했다. 나는 주로 인베스팅닷컴investing.com을 사용하는 편이다.

1. 구글 파이낸스Google Finance
2. MSN 머니MSN Money
3. CNBC
4. 마켓워치MarketWatch
5. 블룸버그Bloomberg
6. 더 스트리트TheStreet
7. 로이터 파이낸스Reuters Finance

8. 인베스팅닷컴Investing.com

9. 모닝스타Morningstar

10. 벤징가Benzinga

나가며 - AI와 함께 어떻게 살아갈 것인가

긴 여정이 끝났다.

내용 측면에서 보자면, 이 책을 통해 우리는 벤저민 그레이엄과 워런 버핏뿐만 아니라 그들의 선후배들과 현재 가치투자자들의 투자 방식을 살펴보면서 가치투자의 진화를 살펴볼 수 있다.

또한 가치투자를 하는 전반적인 과정을 살펴보며 체계적으로 가치투자를 실전에서 활용하는 방법도, 어떻게 가치투자에 배워 나가는지도 배웠다.

이 책이 '가치투자의 새로운 획'을 그을 정도는 아니라고 생각한다. 그러나 지금까지 있는 내용을 꽤 잘 정리한 초중급 투자자에게 유용한 내용이 많다고 판단한다.

더 큰 그림을 보자면, 챗GPT 같은 AI 챗봇이 인간에게 축복인지 재앙인지 고민해 볼 수 있는 좋은 기회다.

나 같은 1인 자본가/크리에이터에게는 큰 축복이다. 요즘 AI는 질문에 답변해 주는 것뿐만 아니라 이미지도 만들어 주고 영상도 만들어 준다. 나의 향후 생산성은 최소 몇 배, 최대 몇십 배 이상 증가할 것이다.

별다른 강점이 없는 근로자 계층, 특히 사무직에게는? 재앙이다. 한 번 같이 책을 써 보니 AI가 직업군 자체를 없애 버릴 수 있다는 것이 뚜렷이 보였다. 가장 단적인 예는 번역이다. 영한 번역기도 매우 높은 수준인데, 한영 번역의 경우 파파고나 DeepL을 통해 1차 번역을 한 후 챗GPT에게 "매끄럽게 다시 써 줘" 식으로 질문하면 원어민이 봐도 깔끔한 수준의 번역이 탄생한다.

AI로 인해 세상이 전반적으로 바뀌고 인간의 노동력이 덜 필요하게 되면 세상은 어떻게 바뀔까?

그 끝에 기본소득+로봇세가 있을지, AI를 활용한 다른 일자리가 만들어질지, AI가 인류를 멸망시킬지 나는 전혀 모르겠다. 미래의 모습이 무엇이든, 어떤 결과가 있을지 매우 궁금하다.

주식투자, 강환국이 묻고 GPT가 답하다

주식투자, 강환국이 묻고 GPT가 답하다

1판 1쇄 인쇄 2023년 3월 22일
1판 1쇄 발행 2023년 3월 29일

지은이 강환국, 챗GPT
펴낸이 김선우

편집 여임동 김동준 | **표지 디자인** studio forb | **본문 디자인** 김재은
본부장 김익겸 | **편집팀** 진다영 고태강 | **마케팅** 장하라
경영지원 이용일 허라희 조이선 | **홍보** 임예성 이예진
광고 비즈니스 이희재 김설희 | **제작** 올인피엔비

펴낸곳 헤리티지북스
출판등록 2022년 9월 15일 제2022-000244호
주소 서울시 마포구 양화로 78-22 3층
이메일 heritagebooks.rights@gmail.com

ISBN 979-11-980636-4-9 03320